Community Learning & Libraries
Cymuned Ddysgu a Llyfrgelloedd

This item should be returned or renewed by the
last date stamped below.

To renew visit:

www.newport.gov.uk/libraries

Stori'r
Brenin Arthur

Stori'r Brenin Arthur

SIÂN LEWIS

Darluniau gan
Graham Howells

RILY

I Gordon Jones, golygydd y gyfrol hon a nifer o gyfrolau eraill,
gyda diolch am y cydweithio hapus a buddiol
S. L.

I Delyth, Joseff a Jacob
G. H.

Cyhoeddwyd gan Rily Publications Ltd 2017
Blwch Post 257, Caerffili CF83 3DA

www.rily.co.uk

ISBN 978-1-84967-328-0

© Testun: Siân Lewis a Rily Publications Ltd 2017
© Darluniau: Graham Howells 2017

Dylunio: Elgan Griffiths

Cyhoeddwyd gyda chymorth ariannol Cyngor Llyfrau Cymru

Argraffwyd yn China

CYNNWYS

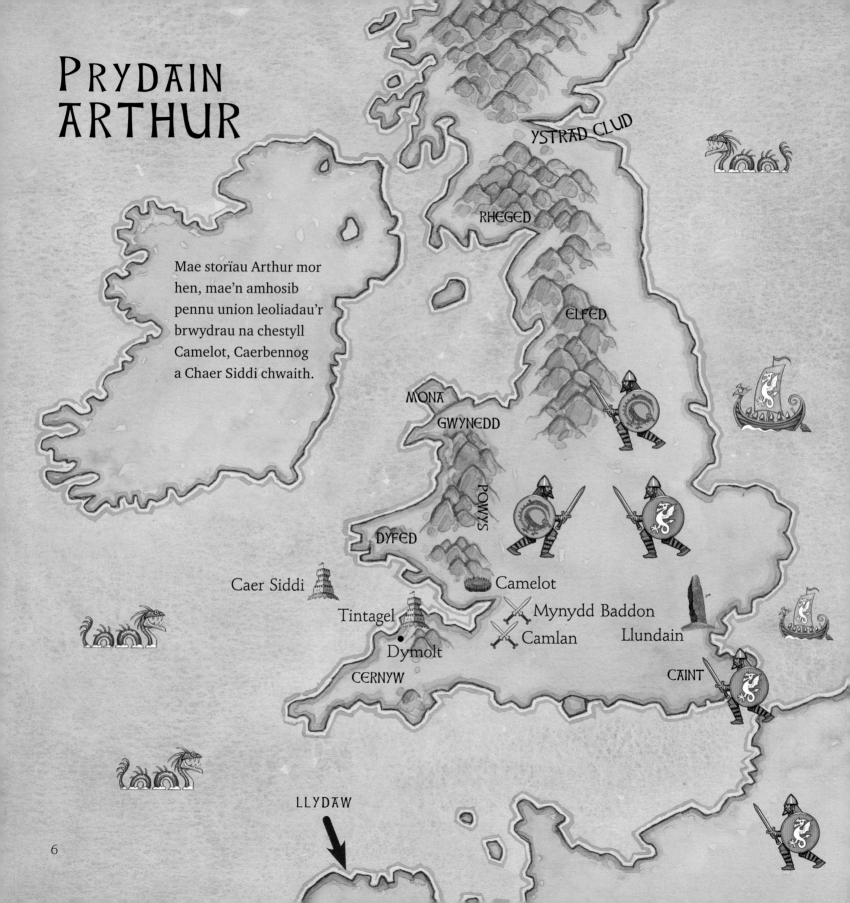

PRYDAIN ARTHUR

Mae storïau Arthur mor hen, mae'n amhosib pennu union leoliadau'r brwydrau na chestyll Camelot, Caerbennog a Chaer Siddi chwaith.

YSTRAD CLUD

RHEGED

ELFED

MONA

GWYNEDD

POWYS

DYFED

Caer Siddi

Tintagel

Dymolt

CERNYW

Camelot

Mynydd Baddon

Camlan

Llundain

CAINT

LLYDAW

6

CYMRU ARTHUR

MONA

Dindaethwy

Cwm Taran

ERYRI

GWYNEDD

Caerbennog

* Caerbennog

* Mae Caerbennog, castell hudol y Greal, yn symud o'r mynyddoedd at y môr.

POWYS

GWENT

Erging

DYFED

Camelot

Caerllion

Caer Siddi

Prydwen

7

Y Brenin Arthur a Phrif

Gareth

Bedwyr

Pelinor

Cai

Arthur

Lawnslot

Farchogion y Ford Gron

MEDRAWD

BORS

ECTOR

GWALCHMAI

PARSIFAL

GALAHAD

GERAINT

Breuddwyd Myrddin

Roedd hi'n fore cynta'r gwanwyn yng Nghoed Eryri. Disgleiriai'r haul drwy frigau'r pren afalau, a chripian tuag at y ddau oedd yn cysgu islaw. Mochyn bach gwyllt oedd un, a chyn-filwr o'r enw Myrddin oedd y llall.

Deffrôdd y mochyn bach ar unwaith, ond doedd Myrddin ddim eisiau deffro'r bore hwnnw. Roedd e'n breuddwydio am achub Ynys Prydain. Am freuddwyd gwych!

Roedd Prydain, gwlad y Brythoniaid, mewn perygl. Roedd y gelyn yn heidio dros y môr ac yn llyncu tiroedd y de a'r dwyrain. A ble roedd y Brythoniaid? Yn lle ymosod ar y gelyn, roedden nhw'n ymladd yn erbyn ei gilydd.

Dyna pam roedd Myrddin wedi dianc i Goed Eryri a thaflu'i gleddyf ar lawr. Doedd e ddim am frwydro yn erbyn ei frodyr. Doedd ef ei hun ddim am frwydro â chleddyf yn erbyn y gelyn chwaith. Roedd 'na ffordd arall i'w trechu.

Am flwyddyn a mwy bu'r dyn ifanc yn swatio yn y coed, yn dysgu am y byd o'i gwmpas ac yn meddwl am ei wlad. Ei unig gwmni oedd y mochyn bach gwyllt. Tra oedd Myrddin yn astudio'r sêr, yn gwylio cyw robin yn hedfan o'r nyth, yn gwrando ar si'r gwenyn, roedd y creadur bach wedi snwffian am afalau ar lawr, a chludo wynwns o'r tu hwnt i'r coed. Oni bai am y mochyn, byddai Myrddin wedi llwgu. Roedd e bron â llwgu beth bynnag. Dros fisoedd oer y gaeaf, roedd y milwr cryf wedi troi'n ddyn esgyrnog a'i wallt tenau'n hongian at ei ganol.

Ar y bore hwnnw o wanwyn, lledodd pelydrau'r haul dros y gwallt hir nes cyrraedd yr wyneb main. Deffrôdd Myrddin yn sydyn. Cododd ar ei eistedd a'i lygaid ar dân. Roedd e'n effro, ond roedd y breuddwyd mor glir ag erioed. Yn y llafn o olau oedd yn disgyn drwy'r coed gwelai fachgen penfelyn.

'Y brenin!' sibrydodd. 'Mab y Ddraig! Y brenin a ddaw i drechu'r gelyn ac i arwain y Brythoniaid i fuddugoliaeth. Weli di o, fochyn bach? Weli di o?'

Cododd y mochyn ei ben a gweld dim byd ond golau'r haul yn disgleirio ar flagur y coed. Blinciodd yn syn wrth i Myrddin gerdded drwy'r golau a diflannu.

Mab y Ddraig

Filltiroedd lawer i ffwrdd, yn ei lys yn Llundain, roedd Uthr Bendragon, Prif Frenin Prydain, yn cynnal gwledd. Eisteddai ar y llwyfan ym mhen draw'r neuadd yn gwylio'r dorf fawr wrth y byrddau llawn. Roedd Uthr wedi gwahodd holl arglwyddi'r wlad i'r llys. Craffodd yn ofalus ar bob un yn ei dro. Doedd neb wedi meiddio gwrthod ei orchymyn. Nodiodd y Pendragon yn fodlon a chodi ar ei draed.

'Ffrindiau,' meddai a'i lais yn atsain.

Distawodd pob smic o sŵn.

'Ffrindiau,' meddai Uthr eto a'i lygaid yn llithro'n araf dros yr wynebau brwd. 'Mi wn i fod rhai ohonoch wedi ymladd yn fy erbyn cyn hyn, ac wedi ymladd yn erbyn eich gilydd hefyd, ond heddiw . . . heddiw, ac o hyn allan, dwi am i ni i gyd fod yn ffrindiau. Rhaid i ni uno, frodyr. Rhaid uno neu golli'n gwlad i'r Sacsoniaid.'

Rhedodd si o atgasedd drwy'r neuadd. Rai blynyddoedd ynghynt, roedd y Brenin Gwrtheyrn wedi gwahodd y Sacsoniaid i'r wlad i'w helpu i drechu ei elynion. Ond nawr roedd y Sacsoniaid yn bachu tiroedd y Brython.

'Ond, Uthr, rwyt ti newydd eu curo yn Nindaethwy!' meddai Cynan o Ystrad Clud.

'Ydw, ac roedd hi'n gurfa go iawn,' cytunodd Uthr. 'Ond mi ddaw'r Sacsoniaid yn eu holau. Mae cymaint ohonyn nhw. Os ydyn ni am gadw'n gwlad, rhaid uno yn eu herbyn.'

'Mae Uthr yn iawn!' Neidiodd Gorlois, brenin Cernyw, ar ei draed a'i wallt coch yn fflamio. 'Mewn undod mae nerth. Er mwyn ein gwlad, dewch i ni uno dan arweiniad Uthr Bendragon.'

'Diolch, Gorlois.' Gwenodd Uthr ar frenin Cernyw, un o'i gefnogwyr mwyaf ffyddlon.

Yr eiliad honno disgleiriodd llafn o olau drwy ddrws agored y neuadd. Yn ymyl Gorlois eisteddai ei wraig, Eigr, y wraig brydferthaf ym Mhrydain gyfan. Pefriodd yr haul yn ei gwallt melyn, llifo ar hyd croen tyner ei bochau, dros ei gwefusau cochion ac ar hyd ei gwddw hir. Agorodd Uthr ei geg, ond methodd ddweud gair. Roedd y wraig ifanc o Gernyw â'r golau yn ei gwallt wedi dwyn ei wynt yn llwyr.

Yn y neuadd islaw roedd cyffro mawr, brenin yn cyfarch brenin ac yn taro cefnau'i gilydd.

'Gwae nhw'r Sacsoniaid!' gwaeddodd pawb, gan godi'u llestri gwin. 'Dewch i ni ddilyn Uthr. Uthr am byth!'

Ond roedd Uthr wedi anghofio pob dim am y Sacsoniaid. Disgynnodd yn ffwndrus i'w gadair a galw'i was.

'Cer â phlataid o'r cig gorau i Eigr o Gernyw,' gorchmynnodd yn floesg.

Aeth y gwas â phlataid o gig i'r bwrdd a'i osod rhwng Gorlois ac Eigr. Plygodd Gorlois ei ben i ddiolch i'r Pendragon.

Ond pan ddaeth gwas arall at y bwrdd, a gosod cwpan aur o flaen Eigr, dechreuodd Gorlois anesmwytho. Disgleiriai gemau cochliw ar hyd ymyl y cwpan, ac ynddo roedd gwin gorau'r llys.

'Arglwyddes, mae'r cwpan hwn i ti,' meddai'r gwas. 'Anrheg gan y brenin Uthr, i'w gadw am byth.'

Gwenodd Eigr yn foesgar, ond yn ei hymyl roedd ei gŵr wedi dychryn. Yn y llafn o olau a lifai drwy ddrws y neuadd gwelai lygaid Uthr yn llosgi fel tân. Doedd y brenin ddim yn bwyta nac yfed, dim ond syllu ar Eigr.

Fedrai Gorlois ddim bwyta nac yfed chwaith. Cyn i'r wledd ddod i ben, sibrydodd yng nghlust ei wraig: 'Dere. Rhaid i ni adael yn syth a mynd yn ôl i Gernyw.'

'Ond beth am Uthr?' meddai Eigr yn syn. 'Mae Uthr am i bawb aros yma i gynllunio sut i drechu'r Sacsoniaid.'

'Fe gaiff gynllunio hebddon ni,' meddai Gorlois. Cydiodd ym mraich ei wraig a'i harwain o'r bwrdd.

Roedd Uthr newydd orchymyn i'w was fynd â broetsh aur i Eigr, pan sylweddolodd fod y llafn o olau wedi pylu, a'r gadair lle'r eisteddai Eigr yn wag. 'Ble mae'r Brenin Gorlois a'i wraig?' gwaeddodd, gan neidio ar ei draed. 'Was, cer i chwilio amdanyn nhw ar unwaith a gorchymyn iddyn nhw ddod yn ôl i'r neuadd.'

Brysiodd y gwas i iard y llys a gweld rhes o geffylau'n carlamu i gyfeiriad y machlud haul. Disgleiriai pelydrau coch ar arfwisg a chleddyf. Rhedodd y gwas yn ôl at Uthr a'i wynt yn ei ddwrn.

'Mae Gorlois ar ei ffordd yn ôl i Gernyw,' sibrydodd wrth ei frenin. 'Ac mae'n mynd â'i wraig a'i filwyr gydag e.'

'Be? Mae'n gadael fy llys heb ganiatâd!' Anghofiodd Uthr am ffyddlondeb Gorlois. 'Rhaid ei ddal a'i gosbi!' rhuodd, gan daro'i ddwrn ar y bwrdd nes bod y cwpanau'n tasgu a'r gwin a'r medd yn llifo i'r llawr. Yna, a'i wyneb yn goch, brasgamodd o'r neuadd, a mynd ar ei union i gasglu'i filwyr.

Marchogodd Gorlois am bum diwrnod. Marchogodd ar ras nes cyrraedd Castell

Tintagel, y man mwyaf diogel yng Nghernyw gyfan. Safai'r castell ar ynys fechan a

phont gul yn arwain tuag ati. Cusanodd Gorlois ei wraig annwyl a'i gadael yno, gan

ofalu bod digon o ddynion i amddiffyn y bont. Yna brysiodd yn ôl i Gastell Dymolt.

Wrth i'w filwyr gau porth y castell, crynodd y ddaear dan eu traed. Roedd byddin

y Pendragon yn nesáu drwy gwmwl o lwch. Cydiodd pob milwr yn ei fwa a dringo i

bennau'r tyrau. Pan ruthrodd yr ymosodwyr at y porth, gollyngwyd cawod o saethau ar eu

pennau. Disgynnodd rhai o filwyr Uthr yn farw gelain, a chiliodd y lleill blith draphlith.

'Awn ni byth i mewn drwy'r porth,' meddai'r swyddogion, gan garlamu'n ôl at eu

brenin.

'Yna mi godwn warchae o amgylch y castell,' chwyrnodd Uthr. 'Fydd Gorlois fawr

o dro yn dod allan – neu lwgu.'

Ond heb yn wybod i Uthr roedd twneli cudd o dan Gastell Dymolt. Bob nos cripiai gweision Gorlois drwy'r twneli i nôl cyflenwad o fwyd. Felly aeth wythnos heibio, ac ail a thrydedd heb i Gorlois ildio. Yn ei wersyll o flaen y castell, ochneidiai Uthr fel dyn mewn poen. O flaen ei lygaid, ddydd a nos, gwelai wyneb hardd Eigr a'r haul yn pefrio ar ei gwallt melyn. Fedrai e ddim byw hebddi.

Yn gynnar ar fore cynta'r bedwaredd wythnos, ar ôl troi a throsi drwy'r nos, cododd Uthr a cherdded tua'r coed. 'Be wna i?' sibrydai'n druenus wrtho'i hun. 'Pwy all fy helpu?'

'Mi alla i dy helpu,' atebodd llais.

Cysgododd Uthr ei lygaid. Roedd dyn esgyrnog mewn clogyn hir yn cerdded tuag ato drwy belydrau haul y bore.

'Mi alla i dy helpu, frenin,' meddai'r dieithryn.

'Sut? Drwy dorri i mewn i'r castell?' gofynnodd Uthr yn wawdlyd. Doedd gan y dieithryn ddim cleddyf, hyd yn oed.

'Drwy dy helpu i fynd at Eigr,' oedd yr ateb.

Dychrynodd Uthr. Sut oedd hwn yn gwybod mai chwilio am Eigr roedd e, ac nid dial ar Gorlois am anufuddhau?

'Myrddin ydw i,' meddai'r dieithryn gan syllu i fyw llygaid y brenin. 'Ac mi wn i bethau na ŵyr neb arall. Mae Eigr yng Nghastell Tintagel. Mi a' i â ti yno.'

'Ond mae pont gul yn arwain at Tintagel,' parablodd Uthr. 'Bydd milwyr Gorlois yn fy nabod. Sut galla i groesi?'

'Mi alla i wneud i ti edrych yn union fel Gorlois,' atebodd Myrddin yn dawel. 'Dyna sut yr ei di i mewn i'r castell.'

Tynnodd Uthr anadl grynedig. Fe oedd y Pendragon, Prif Frenin Prydain. Sut gallai'r dieithryn blêr hwn newid ei olwg? Doedd y peth ddim yn bosib. Ac eto, on'd oedd e eisoes wedi newid o'r tu mewn? Ers y diwrnod hwnnw yn y llys yn Llundain, roedd ei gariad tuag at Eigr wedi'i feddiannu'n llwyr.

'Iawn,' mwmialodd, gan fwrw cipolwg ar y dieithryn. 'Gwna dy orau. Os llwyddi di, mi gei beth bynnag rwyt ti ei eisiau.'

'Dim ond un peth dwi eisiau,' atebodd Myrddin. 'Ar ôl i ti fynd at Eigr a'i charu, mi gaiff bachgen ei eni. Dwi am i ti roi'r bachgen i mi i'w fagu. Wyt ti'n addo?'

'Ydw, ydw. Dwi'n addo,' atebodd Uthr ar unwaith. Er mwyn Eigr, fe addawai unrhyw beth.

Drannoeth, marchogodd Uthr a Myrddin i Tintagel. Safodd y ddau ar y bryn gyferbyn â'r castell, ac aros iddi nosi. Wrth i'r haul fachlud, a'i belydrau coch yn llifo dros y tir, gwelodd Uthr flew du ei freichiau'n troi'n fflam o dân.

'Uthr a fuost,' sibrydodd Myrddin yn ei glust. 'Gorlois o Gernyw wyt ti nawr. Am nos a dydd Gorlois fyddi di.'

Teimlodd Uthr ei draed yn glynu wrth ddaear Cernyw. Llifodd nerth rhyfedd drwy ei gorff a ffrwydrodd ei anadl o'i geg.

'Gorlois ydw i,' bloeddiodd mewn acen ddierth. 'Gorlois!'

Heb oedi eiliad, brasgamodd yn hyderus i lawr y bryn tuag at y bont oedd yn arwain at Gastell Tintagel. Brysiodd y gwylwyr i'w gyfarch ac i agor y porth i'w brenin. Clywodd Eigr y cyffro a rhedeg o'r neuadd.

'Gorlois!' meddai gydag ochenaid fach hapus. 'Rwyt ti wedi dod o'r diwedd.'

'O'r diwedd!' sibrydodd Uthr, a gafael yn dynn yn ei llaw.

Aeth Eigr ag e i'w stafell, ac am nos a dydd gorweddodd Uthr ym mreichiau'r wraig y bu'n breuddwydio mor daer amdani. Un nos ac un dydd. Dyna'r cyfan roedd Myrddin wedi'i addo. Ond yn ystod y cyfnod hwnnw bu farw'r Gorlois go iawn pan drawyd e gan saeth un o filwyr Uthr ar fur Castell Dymolt. Felly roedd Eigr yn wraig weddw. Roedd hi hefyd yn disgwyl plentyn.

Aeth Uthr oddi yno. Trodd yn ôl i'w ffurf ei hun, ac yna dychwelyd i Gernyw i briodi Eigr. Pan anwyd eu mab naw mis yn ddiweddarach, roedd Myrddin yn disgwyl amdano wrth borth y llys. Heb ddweud gair, cododd Uthr y baban o freichiau'i fam a'i roi iddo, fel yr addawodd.

Lapiodd Myrddin y plentyn yn ei glogyn a mynd ag e'n ôl i'r coed. Wrth i'r ddau nesáu at eu cartref, chwythodd awel o wynt a phlygodd y coed eu canghennau.

'Edrych, maen nhw'n plygu i ti, Arthur,' meddai Myrddin.

Ond roedd y baban yn cysgu, a chlywodd e 'run gair.

Y Cleddyf yn y Maen

Magwyd Arthur yn nyfnder y goedwig, ymhell o bob llys a chastell. Yng Nghwmni Myrddin dysgodd am ddirgelion byd natur, a dysgu sut i garu ei wlad, pob bryn a dyffryn. Dysgodd fod gan Brydain arweinydd cryf o'r enw Uthr Bendragon, ond wyddai e ddim mai Uthr oedd ei dad.

Wyddai e ddim ar ba ddiwrnod y ganwyd e chwaith. Felly, pan ddwedodd Myrddin wrtho un bore braf o aeaf, 'Rwyt ti'n wyth oed heddiw, Arthur', craffodd y bachgen arno. Doedd Myrddin byth yn dweud gair heb ystyried yn ofalus.

'Dwi wedi wedi gweld wyth gaeaf, felly,' meddai Arthur o'r diwedd.

'Wyt,' atebodd Myrddin.

'Ac wyth gwanwyn, haf a hydref?'

'Wyt.'

'A pham mae hynny'n bwysig?' gofynnodd Arthur.

Pwysodd Myrddin ei law ar ysgwydd y bachgen. Eisteddai'r ddau ar graig ar lan llyn bychan.

'Achos daeth yr amser i ti ddysgu sut i farchogaeth a thrin arfau.'

'Trin arfau!' meddai Arthur. 'Ond does gen ti a fi ddim arfau, Myrddin, a . . .'

'Sh!' sibrydodd Myrddin, a phwyntio at gylch o ddŵr yng nghanol y llyn.

Daliodd Arthur ei anadl, a distawodd yr adar yn y coed. Roedd y cylch yn byrlymu dan olau'r haul. O'r bwrlwm, cododd rhith dyn ifanc â chleddyf yn ei law. Gan wenu'n falch, estynnodd ei gleddyf uwch ei ben. Fflachiodd golau tanbaid dros y llafn, a diflannodd y dyn ifanc mor sydyn ag y daeth.

Trodd Arthur at Myrddin mewn syndod.

'Fe ddaw'r amser,' meddai Myrddin, a'i wasgu'n dynn. 'Fe ddaw'r amser.'

Aeth Myrddin ag Arthur at farchog bonheddig o'r enw Ector. Dyn cyhyrog a llon,
â mwng o wallt brown, oedd Ector. Croesawodd Arthur i'w gartref fel mab, er bod
ganddo ei fab ei hun. Cai oedd hwnnw. Roedd Cai bron dair blynedd yn hŷn nag
Arthur.

Yng nghwmni Cai, dysgodd Arthur sut i farchogaeth ar garlam, sut i ddefnyddio
bwa a saeth, sut i anelu picell at darged a sut i gario cleddyf a tharian. Breuddwyd
Cai oedd bod yn un o farchogion Uthr Bendragon. Wrth fynd yn hŷn, dyna oedd
breuddwyd Arthur hefyd.

Ond un bore tywyll o wanwyn, pan oedd Arthur a Cai'n helpu Ector i baratoi ar gyfer diwrnod o hela, fe glywson nhw floedd yn atsain dros y caeau.

Roedd negesydd yn carlamu tuag atyn nhw ar gefn ei geffyl.

'Mae Uthr wedi marw!' gwaeddodd. 'Mae'r Sacsoniaid wedi'i ladd. Fe roeson nhw wenwyn yn y ffynnon lle roedd Uthr yn cael dŵr i'w yfed.'

'O! Druan o'r brenin!' llefodd Cai.

'Druan o bob un ohonon ni!' ebychodd ei dad.

Ddwedodd Arthur 'run gair. Teimlai ias yn lledu drwy'i gorff, yn union fel petai ef ei hun wedi llyncu'r dŵr gwenwynig.

'Ie, druan o bob un ohonon ni,' meddai'r negesydd, a throi pen ei geffyl. 'Heb Uthr i'n harwain, beth ddaw ohonon ni'r Brythoniaid? Byddwn ni'n ymladd yn erbyn ein gilydd unwaith eto ac yn rhoi ein gwlad yn nwylo'r gelyn.'

'Rhaid i ni gael Pendragon arall!' meddai Cai.

'Dim gobaith!' ochneidiodd y negesydd, gan sbarduno'r ceffyl a charlamu yn ei flaen.

'Dim gobaith,' adleisiodd Ector.

'Ond beth amdanat ti, Ector?' meddai Arthur a'i lais yn crynu. 'Mi wnaet ti Bendragon da. Rwyt ti'n ddoeth a gonest a dewr.'

'Doeth a gonest a dewr?' Gwenodd Ector yn drist. 'Dyw hynny ddim yn ddigon, Arthur. Rhaid cael rhywun o gymeriad arbennig iawn. Rhywun y bydd pawb drwy'r wlad yn ei edmygu ac yn barod i wrando arno. Nid fi yw'r dyn hwnnw. Ond mae arna i ofn y bydd sawl un o'n harglwyddi yn breuddwydio am fod yn olynydd i Uthr Bendragon.'

Roedd Ector yn iawn. Cyn diwedd yr wythnos roedd arglwyddi ym mhob cwr o'r wlad yn cynnull byddinoedd, ac yn paratoi i ymladd am yr hawl i fod yn Brif Frenin Prydain.

Ymladdodd arglwyddi Prydain yn erbyn ei gilydd am ddwy flynedd gron. Yn ei goedwig bell caeodd Myrddin ei glustiau ac aros. Roedd yn aros nes i Arthur gyrraedd deunaw oed.

Pan ddaeth y diwrnod hwnnw, aeth Myrddin i weld yr Archesgob yn ei eglwys yn Llundain. Yn yr eglwys roedd gorsedd Prif Frenin Prydain.

'Mae'r orsedd yn wag ers dwy flynedd,' ochneidiodd yr Archesgob. 'Pryd daw'r rhyfela i ben? Pryd cawn ni frenin cryf unwaith eto?'

'Beth am ofyn i holl arglwyddi'r wlad ddod yma ar noswyl Nadolig a gweddïo am arwydd?' meddai Myrddin.

Cytunodd yr Archesgob ac aeth ati ar unwaith i anfon negeswyr ledled y wlad.

Ar noswyl Nadolig roedd yr eglwys yn orlawn o arglwyddi. Dawnsiai golau'r canhwyllau dros yr wynebau dwys wrth i bob arglwydd ymbil yn daer am Brif Frenin newydd i Brydain, gan obeithio yn ei galon mai ef ei hun fyddai'r brenin hwnnw.

Drwy oriau'r nos diffoddodd y canhwyllau o un i un. Yn gynnar ar fore Nadolig, cododd yr arglwyddi blinedig a llifo allan o'r eglwys. Wrth i'r dorf gyrraedd y llain

o flaen yr adeilad, treiddiodd pelydrau cynta'r wawr dros y gorwel a disgyn ar faen mawr oedd wedi ymddangos dros nos. Gwaeddodd yr arglwyddi mewn rhyfeddod. Yn ymestyn o'r maen roedd cleddyf hardd a gemau'n disgleirio ar ei garn. Ar y garreg oddi tano fflachiai ysgrifen aur:

PWY BYNNAG A DYNNO'R CLEDDYF HWN O'R MAEN FYDD GWIR FRENIN PRYDAIN

'Yr arwydd! Yr arwydd!' gwaeddodd yr arglwyddi, a rhuthro'n un haid i afael yn y cleddyf.

'Arhoswch!' galwodd yr Archesgob gan sefyll o'u blaenau. 'Os bydd pawb yn tynnu ar yr un pryd, fyddwn ni ddim callach. Ewch adre i gyd. Fe drefna i dwrnamaint adeg y Pasg, ac ar y diwrnod hwnnw fe gewch chi i gyd gynnig ar dynnu'r cleddyf yn eich tro.'

Ychydig ddyddiau cyn y Pasg cafodd Cai, mab Ector, ei urddo'n farchog. Roedd yn un ar hugain oed, ac am y tro cyntaf yn ei fywyd, roedd ganddo'r hawl i gystadlu mewn twrnamaint.

'Dwi'n mynd i Lundain,' meddai gan bwnio'r awyr.

Roedd Arthur yn llawn cyffro hefyd. Fe oedd sgweiar Cai, ac roedd yn gyfrifol am helpu ei ffrind a gofalu am ei arfau. Bu'r ddau wrthi o fore gwyn tan nos yn ymarfer ar gyfer y twrnamaint drwy anelu picellau at gylchoedd oedd yn hongian o ganghennau'r coed, ymladd â chleddyf, a dysgu sut i symud yn ystwyth ac osgoi'r gelyn.

O'r diwedd daeth y diwrnod i deithio i Lundain yng nghwmni Ector. Ar fore'r twrnamaint gadawodd y tri eu llety a marchogaeth i'r maes. Ar y ffordd aethon nhw heibio i eglwys, lle roedd torf fawr wedi ymgynnull. Thalodd Cai ac Arthur fawr o sylw, ond roedd Ector wedi clywed am yr ornest i ddewis brenin ac arhosodd i'w gwylio, gan adael i'r ddau ifanc fynd yn eu blaenau.

Roedd Cai ar dân eisiau cyrraedd y maes. Eisteddai'n dalsyth yn y cyfrwy a'i bicell yn ei law. Yn ei ymyl marchogai Arthur, a'r darian a'r fwyell dan ei fraich, a helmed Cai mewn sach ar ei gefn. Roedd wedi glanhau holl arfau Cai nes roedden nhw'n disgleirio fel aur pur.

Roedd y twrnamaint wedi dechrau eisoes, a'r bloeddiadau'n atsain ar hyd y strydoedd. Wrth i Cai ac Arthur nesáu, fe glywson nhw gorn yn canu a gweld dwy res o farchogion yn carlamu tuag at ei gilydd gan anelu'u picellau. Syrthiodd un marchog yn bendramwnwgl ar ganol y maes, a rholio o ffordd y carnau chwim.

'Ffŵl!' chwarddodd Cai. 'Welaist ti e? Roedd e'n eistedd fel boncyff yn y cyfrwy. Doedd e ddim yn symud o gwbl. Dim rhyfedd fod y bicell wedi'i daro.'

Roedd y ddwy res o farchogion wedi troi ac yn ailymosod. Disgynnodd Arthur a Cai o gefnau'u ceffylau a sefyll i wylio'r frwydr. Fyddai Cai ddim yn cystadlu tan y prynhawn. Tan hynny, roedd yn mynd i wylio'r marchogion eraill a'u beirniadu. Ei

ffefryn oedd marchog mewn arfwisg ddu a thair saeth felen ar ei darian. Bloeddiai'n falch bob tro roedd hwnnw'n cyrraedd pen draw'r maes yn ddiogel, ond ochneidiodd yn uchel pan syrthiodd ei arwr.

'O! Buodd e bron ag ennill y gystadleuaeth,' llefodd Cai.

'Rhaid i ti wneud yn well nag e,' meddai Arthur.

'Bydd.' Gwenodd Cai a chodi'i ên. Llygadodd y marchogion ifanc oedd yn mynd heibio. Roedd yn siŵr y gallai eu curo bob un. Wedi'r cyfan, roedd wedi ymarfer ac ymarfer, ac roedd Arthur wedi'i helpu. Sawl gwaith oedd e wedi taflu Arthur i'r llawr? Gwenodd yn slei ar ei ffrind.

'Mae bron yn amser,' meddai Cai. 'Dere. Fe chwiliwn ni am fan tawel ac fe gei di fy helpu i baratoi.'

Aeth y ddau heibio'r pafiliwn lle roedd arglwyddi a'u gwragedd yn eistedd i wylio'r twrnamaint. Edrychai rhai'n siomedig iawn, sylwodd Arthur. Tybed pam?

Y tu ôl i'r pafiliwn roedd y marchogion ifanc yn gloywi tarianau ac yn ystwytho cefnau a breichiau. Cydiodd Cai yn ei darian a brasgamu i gornel wag a'i drwyn yn yr awyr. Dilynodd Arthur, a'i sach ar ei gefn. Roedd yn tynnu'r helmed o'r sach ac yn sythu'r bluen ar ei phen, pan glywodd Cai'n rhoi gwaedd.

'Arthur!'

'Be?' Dychrynodd Arthur. Roedd llygaid Cai bron â neidio o'i ben a'i wyneb fel fflam o dân. 'Be sy . . .?'

'Sh!' Edrychodd Cai o'i gwmpas. Tynnodd ei ffrind yn nes a dangos y wain wag oedd yn hongian o'i wregys. 'Dwi wedi anghofio fy nghleddyf,' sibrydodd.

'Be?' llefodd Arthur. Allai e ddim credu. Roedd ef ei hun wedi estyn y cleddyf i Cai cyn gadael y llety.

'Does gen i ddim cleddyf!' meddai Cai a'i lais yn codi mewn panig. 'Dwi wedi'i adael ar ôl. Mae ar ben arna i!'

'Na! Aros! Fe a' i i'r llety i nôl dy gleddyf di. Paid â symud.' Cyn gorffen siarad, roedd Arthur wedi troi ar ei sawdl ac yn rhedeg at ei geffyl.

Doedd dim amser i'w golli. Marchogodd Arthur tua'r llety mor gyflym ag y gallai. Drwy lwc, roedd y strydoedd bron yn wag am fod pawb yn gwylio'r twrnamaint. Ond, wrth nesáu at yr eglwys, clywodd Arthur gôr o leisiau ac yn sydyn dyma dorf fawr yn symud fel ton tuag ato. Rhusiodd ei geffyl mewn braw a llithrodd Arthur i'r llawr. 'Mae gen i neges bwysig,' gwaeddodd yn groch. 'Ewch o'r ffordd, da chi!' Ond doedd neb yn gwrando. Roedd pawb yn siarad pymtheg y dwsin.

'Alla i ddim credu bod neb wedi tynnu'r cleddyf,' meddai un. 'Mae Rhun o Wynedd mor gryf â phâr o geffylau.'

'A beth am Cadell o Went?' meddai'i ffrind. 'Dyna i ti ddyn urddasol. Cadell ddylai fod yn Brif Frenin Prydain.'

Cafodd Arthur hergwd gan benelin yn ei stumog, a disgynnodd i'r llawr. Erbyn iddo godi ar ei draed, roedd y dorf wedi gwasgaru. Ond roedd hi eisoes yn ganol dydd a'r haul yn uchel uwchben.

'Cai druan!' ochneidiodd Arthur. Doedd ganddo ddim gobaith cyrraedd y llety mewn pryd.

Roedd yn tawelu'i geffyl ac yn ceisio penderfynu p'un a ddylai droi'n ôl ai peidio, pan welodd rywbeth yn fflachio yn yr haul. Y tu allan i'r eglwys safai maen mawr,

ac yn sownd yn y maen roedd cleddyf hardd! Edrychodd Arthur o'i gwmpas. Doedd dim sôn am berchennog yn unman, felly heb oedi eiliad rhedodd at y cleddyf, a'i dynnu ag un plwc o'r maen.

Cawsai Ector fore siomedig. Roedd wedi gweld arglwyddi pwysica'r wlad yn rhoi cynnig ar fod yn Brif Frenin Prydain. Roedd rhai'n gryf aruthrol, rhai'n ddewr, rhai'n gyfrwys, rhai'n feddylgar. Ond roedd pob un wedi methu. Roedd Prydain yn dal heb frenin.

Ochneidiodd Ector yn ddwys wrth anelu am faes y twrnamaint. Yno cafodd siom arall. Roedd Cai mewn helynt, a'i wyneb yn goch.

'Welaist ti Arthur?' meddai'n swta wrth ei dad.

'Naddo! Pam? Ble mae e?' gofynnodd Ector yn syn.

'Doedd gen i ddim cleddyf. Mae e wedi mynd i'r llety i'w nôl,' meddai Cai, gan guddio'i wyneb rhag y marchogion eraill oedd yn tyrru i'r maes. 'Ti'n siŵr na welaist ti Arthur? Mae . . .'

'Cai! Cai!'

Ochneidiodd Cai'n falch. Roedd Arthur yn nesáu a'r cleddyf yn ei law'n fflachio'n rhyfeddol dan olau'r haul. Rhedodd Cai tuag ato â gwên fawr ar ei wyneb, ond rhedodd Ector yn gynt. Â bloedd o banig, gwthiodd ei fab o'r ffordd, gafael ym mraich Arthur a cheisio cuddio'r cleddyf.

'Ble cest ti hwn, Arthur?' sibrydodd yn ei glust.

'Doedd gen i ddim amser,' atebodd Arthur a'i wynt yn ei ddwrn. 'Dim amser i fynd yn ôl i'r llety. Ces i afael ar hwn mewn maen a . . .'

'Sh!' Edrychodd Ector dros ei ysgwydd. Roedd torf wedi dechrau ymgynnull, ac yn siarad yn gyffrous ar draws ei gilydd gan syllu ar y cleddyf.

'Be sy?' meddai Arthur mewn braw. 'Dim ond benthyg y cleddyf wnes i a . . .'

'Rhaid i ti fynd ag e'n ôl yn syth,' atebodd Ector drwy'i ddannedd. Gan droi at y dorf, meddai'n daer, 'Mae'n ddrwg iawn gen i, foneddigion. Doedd y llanc ddim yn sylweddoli mai hwn oedd cleddyf gwir frenin Prydain.'

'Gwir frenin Prydain!' ebychodd Cai.

'Mae e'n mynd i roi'r cleddyf yn ôl yn syth,' meddai Ector, gan roi hwb i Arthur.

Roedd maes y twrnamaint yn wag. Aethai'r si ar led fod bachgen ifanc wedi dwyn y cleddyf o'r maen. Ond sut? On'd oedd arglwyddi cryfa'r wlad wedi gwneud eu gorau glas i dynnu'r cleddyf ac wedi methu'n llwyr? Sut felly roedd y bachgen wedi llwyddo? Drwy dwyll, mae'n siŵr.

Teimlai Arthur yn ddiflas tu hwnt. Roedd wedi difetha'r twrnamaint ac wedi dwyn gwarth ar Ector a'i deulu. Dechreuodd redeg yn ôl tua'r llain, ond 'Aros! Aros!' gwaeddodd lleisiau croch. 'Paid ti â meiddio dianc.'

'Ara deg, Arthur bach,' meddai Ector. Cerddodd e a Cai bob ochr i Arthur, a'r dorf enfawr yn eu dilyn bob cam o'r ffordd. Ar ôl cyrraedd y llain, ffurfiodd pawb hanner cylch a gwylio'r bachgen yn rhoi'r cleddyf yn ôl yn y maen.

Cyn gynted ag y disgynnodd y cleddyf i'w le,
gwthiodd Urien o Bowys ei ffordd drwy'r dorf.

'Rŵan,' meddai, gan wenu'n ddanheddog, 'dwi am roi
cynnig arall ar dynnu'r cleddyf.'

Poerodd ar ei ddwylo, ystwytho'i ysgwyddau enfawr
a gafael yn y carn.

Rhoddodd blwc i'r cleddyf.

Symudodd y cleddyf 'run mymryn.

Cymerodd Urien anadl ddofn, a chan ddal i wenu,
tynnodd yn galetach.

Dechreuodd y dorf chwerthin.

'Symud o'r ffordd, Urien!' gwaeddon nhw. 'Nid ti yw'r
brenin.'

Gwasgodd Urien ei ddannedd yn dynn a thynnu nes
bod chwys yn ffrydio i lawr ei wyneb. Daliodd ati nes i
Gynfarch o Reged ei wthio o'r ffordd.

'Fy nhro i!' rhuodd Cynfarch gan sefyll a'i goesau ar
led a gafael yn y carn. Ond er rhuo ac ysgyrnygu a thynnu
ei orau glas, symudodd Cynfarch mo'r cleddyf chwaith.

Am yr eildro safodd yr arglwyddi'n rhes, a rhoi cynnig

ar dynnu'r cleddyf, un ar ôl y llall. Tynnodd yr arglwyddi nes bod eu bochau'n goch a'u chwys yn tasgu, ond methu wnaeth pawb.

'Mae'n amhosib,' medden nhw o'r diwedd. 'All neb dynnu'r cleddyf.'

'Neb ond un,' meddai llais o'r dorf. 'Mae un wedi'i dynnu'n barod.'

'Pwy?' Edrychodd yr arglwyddi o'u cwmpas.

Edrychodd Ector ar Arthur â syndod lond ei lygaid.

'Arthur!' meddai. 'Arthur sy wedi tynnu'r cleddyf o'r maen!'

'Ie, ond bachgen yw hwnnw,' wfftiodd pawb. 'A welodd neb mohono'n gwneud.'

'Arthur?' Teimlodd Arthur law Ector yn gwasgu'i fraich. 'Arthur,' meddai. 'Dos. Tynna eto.'

Ysgydwodd Arthur ei ben.

'Dos, Arthur,' meddai Cai'n floesg.

Edrychodd Arthur ar ei ffrind.

'Dos!' siarsiodd Cai.

Camodd Arthur at y maen a throi i wynebu'r dorf. Cydiodd yn y carn a theimlo'r cleddyf yn symud dan ei law. Gollyngodd e ar unwaith. Doedd e ddim hyd yn oed yn farchog eto. Pa hawl oedd ganddo i dynnu'r cleddyf o'r maen?

'Ha!' gwawdiodd yr arglwyddi. 'All e ddim tynnu'r cleddyf. Twyllwr yw e!'

Cochodd Arthur a throi at Ector, gan feddwl dianc o'r llain cyn gynted ag y gallai. Ond cyn iddo gymryd cam, clywodd lais yn galw, a rhedodd cryndod drwy fêr ei esgyrn.

'Daeth yr amser!' meddai'r llais.
Yn ara bach, cododd Arthur ei
ên a chraffu dros bennau'r dorf. Ar
ymyl y llain safai gŵr esgyrnog mewn
clogyn llaes. Syllodd Arthur i fyw ei
lygaid, a deall o'r diwedd.

Roedd Myrddin wedi deall cyn fy ngeni, meddyliodd Arthur.

Oedd, roedd yr amser wedi dod. Anadlodd Arthur yn ddwfn. Ailgydiodd yn y carn, a chydag un plwc chwim, tynnodd y cleddyf o'r maen.

O'i gwmpas cododd si fel y gwynt drwy'r coed wrth i'r arglwyddi i gyd blygu glin o flaen Arthur.

'Dyma Arthur,' meddai Myrddin a'i lais fel cloch. 'Arthur, gwir frenin Prydain.'

I'r Gad!

Sefydlodd y Brenin Arthur ei lys yng Nghaerllion. Yno cafodd groeso mawr gan Ector a Cai a llawer o bobl bwysica'r wlad. Ond, o dipyn i beth, dechreuodd rhai arglwyddi wfftio prawf y cleddyf yn y maen, a chwyno am eu brenin ifanc.

Un o elynion pennaf Arthur oedd Pelinor, brenin brawychus Mona.

'Dwi ddim yn mynd i blygu glin o flaen rhyw hogyn bach,' chwyrnai Pelinor wrth bawb oedd yn fodlon gwrando. 'Arweinydd cryf sydd ei angen arnon ni, nid rhyw lipryn sy bron yn rhy ifanc i dyfu barf.' Roedd Pelinor ei hun yn gawr o ddyn a blew ei farf yn tyfu fel drain rhwng y creithiau ar ei ên.

Un diwrnod, pan oedd Arthur a Cai newydd ddychwelyd i Gaerllion ar ôl ymweld ag Owain, brenin Elfed, daeth negesydd i'r llys.

'Dwi'n dod â neges oddi wrth fy meistr, yr Arglwydd Pelinor,' meddai gan grynu, braidd. Roedd y neges mor anfoesgar! 'Dyma'i union eiriau.' Pesychodd ac ychwanegu mewn llais dwfn: 'Mae'n ddigon hawdd chwifio dy gleddyf hud, y cenau bach. Rŵan mae'n bryd i ti brofi dy hun. Tyrd â dy fyddin i'r gogledd ac ymladd yn fy erbyn, y . . .'

Gwichiodd y negesydd a neidio y tu ôl i gadair, wrth i Cai godi'i ddwrn.

'Paid, Cai!' dwrdiodd Arthur.

'Does gan neb hawl i siarad â ti fel'na,' meddai Cai. 'Beth bynnag, dwyt ti ddim yn credu mewn ymladd yn erbyn dy gyd-Frythoniaid.'

'Na, dwi ddim.'

'Ti'n gwrthod, felly?' gwichiodd y negesydd.

'Dwi'n gwrthod arwain byddin i'r frwydr,' atebodd Arthur. 'Ond fe ymladda i ar fy mhen fy hun yn erbyn Pelinor.'

'Alli di ddim!' gwaeddodd Cai mewn braw. 'Mae e'n enfawr. Wnei di byth ennill. Fe gei dy ladd, ac wedyn fe fyddwn ni heb frenin.'

'Ond sut galla i achub fy ngwlad, os ydw i'n rhy ofnus i ymladd ag un dyn?' meddai Arthur. Trodd at y negesydd. 'Dwed wrth dy feistr am ddewis yr amser a'r lle, ac fe ymladda i yn ei erbyn.'

Brysiodd y negesydd yn ôl at Pelinor. Chwarddodd hwnnw'n groch. 'Am hogyn gwirion!' meddai'n wawdlyd. 'Dwed wrtho am ddod at raeadr Cwm Taran wythnos i ddydd Llun. Mi sathra i o fel gwelltyn.'

Teithiodd Arthur i fynyddoedd Eryri yng nghwmni Cai a chriw bach o farchogion. Ar y nos Sul cyn yr ornest, allai Cai ddim cysgu. Drwy'r nos bu'n paratoi arfwisg Arthur, ac roedd ei wyneb yn wyn fel y galchen pan estynnodd hi i'w ffrind yn y bore.

'Does dim rhaid i ti ymladd,' meddai Cai.

'Oes, mae'n rhaid,' atebodd Arthur.

Marchogodd Arthur a'i ddynion i Gwm Taran, cwm llwyd ac erchyll yng nghesail y creigiau. Yn y pen uchaf, llifai rhaeadr dros graig serth a phlymio â sŵn byddarol i'r hollt a rannai'r cwm yn ddau. Tasgai cawodydd o ddŵr o'r hollt a gorwedd drosti fel niwl.

Craffodd Arthur drwy'r niwl a gweld pont gul, a charreg enfawr y tu draw iddi.

Yn sydyn, fe symudodd y garreg.

'Pelinor sy 'na!' ebychodd Cai.

'Ty'd, hogyn!' rhuodd Pelinor. 'Mi ddangosa i i ti be 'di brenin go iawn. Ty'd, os wyt ti'n ddigon o ddyn.'

Neidiodd Arthur o'r cyfrwy, ond roedd Cai'n gyflymach fyth.

'Paid â symud!' meddai, gan wthio Arthur yn ôl. 'Fe ymladda i yn dy le.'

'Ac os bydd Cai'n methu, fe ymladdwn ni i gyd yn ein tro,' meddai'r marchogion eraill, gan dynnu'u cleddyfau. 'Wnawn ni ddim gadael i ti ymladd. Ti yw ein brenin.'

'Ie, fi yw eich brenin,' meddai Arthur a'i lais yn atsain. 'A dwi'n gorchymyn i chi fynd o'r ffordd. Symud yn ôl, Cai. Symudwch yn ôl, bob un. Gornest rhwng Pelinor a fi yw hon.'

Plygodd Cai ei ben a gostwng ei gleddyf wrth weld yr olwg benderfynol ar wyneb Arthur. Camodd y marchogion eraill yn ôl. Gan ddal eu gwynt, fe wylion nhw'u brenin ifanc yn cerdded tuag at y bont, a'r diferion dŵr o'i gwmpas yn pefrio yng ngolau'r haul.

Welai Arthur ddim byd ond cysgod mawr Pelinor yn ymestyn tuag ato, gan dyfu'n fwy ac yn fwy â phob cam. Pan gyrhaeddodd ben draw'r bont, chwythodd Pelinor fel tarw a gyrru cawod o ddŵr i'w wyneb.

Ysgydwodd Arthur ei ben i gael gwared ar y diferion.

'Pelinor,' meddai. 'Brython wyt ti a Brython ydw innau. Fe ddylen ni'n dau fod yn ffrindiau.'

'Os felly,' gwawdiodd Pelinor, 'plyga o 'mlaen i, lygoden.'

'Ti ddylai blygu o 'mlaen i,' mynnodd Arthur.

'Byth bythoedd!' Gan ruo'n wyllt, ymosododd Pelinor.

Trawodd ei gleddyf yn erbyn cleddyf Arthur, a hyrddiwyd Arthur tuag yn ôl. Rywsut, llwyddodd i'w achub ei hun rhag disgyn dros y dibyn. Ond roedd Pelinor yn gwegian hefyd. Gan rochian yn chwyrn, stryffagliodd y cawr i le mwy diogel. Er ei fod yn gryf a'i freichiau'n hir, fedrai e ddim symud yn gyflym. Symudai Arthur fel neidr, gan blygu a neidio ac ymosod o bob cyfeiriad, tra chwipiai cleddyf Pelinor yr awyr uwch ei ben.

Ymladdodd y ddau am oriau lawer, a marchogion Arthur ar bigau'r drain yn eu gwylio. Daeth Myrddin o'i gartref yn y coed i ymuno â nhw. Dawnsiai cleddyf Arthur fel enfys symudol, wrth i'r haul ddisgleirio ar y gemau ar y carn, tra codai a disgynnai cleddyf Pelinor fel bwyell. Pan drawodd ei gleddyf yn erbyn un Arthur a thaflu'r dyn ifanc i'r llawr, gwaeddodd y marchogion a dechrau rhedeg tuag at eu brenin. Ond cyn iddyn nhw gyrraedd y bont, roedd Arthur wedi codi ac ailddechrau ymladd.

Pan syrthiodd Arthur am yr eildro, fe gollodd ei darian. Wrth i lafn cleddyf Pelinor chwibanu drwy'r awyr, anelodd gic at y cawr a'i ddal yn ei frest. Erbyn i'w elyn gael ei wynt ato, roedd Arthur ar ei draed unwaith yn rhagor.

Gwylltiodd Pelinor ac ymosod yn fwy ffyrnig fyth. Cydiodd yn ei gleddyf â'i ddwy law, ei chwyrlïo uwch ei ben, a thorri llafn cleddyf Arthur yn ei hanner. Gwibiodd y blaen miniog dros bennau'r ddau ymladdwr a disgyn i'r hollt islaw.

Nawr doedd gan Arthur ond pwt o gleddyf. Gollyngodd y carn a rhoi naid at Pelinor, gan feddwl ei daflu i'r llawr. Gwaeddodd Pelinor mewn syndod a rhoi hwb chwyrn i'w frenin. Syrthiodd Arthur tuag yn ôl. Trawodd ei ben yn erbyn craig, ac ar unwaith aeth pobman yn ddu.

Pan ddeffrôdd Arthur, roedd yn gorwedd ar lawr coedwig. Yn ei ymyl roedd hen ffrind yn malu gwreiddiau mewn dysgl. Gwyntodd Arthur eu harogl, ac am foment roedd yn blentyn unwaith eto, yn gorwedd ar ei wely o fwsog. Ond, pan ddisgleiriodd yr haul ar bwt o gleddyf a tharian gam, cofiodd am yr ornest a gwingo mewn cywilydd.

Clywodd Myrddin e'n symud.

'Rwyt ti'n well,' meddai'n falch.

'Yn well, ond ddim yn frenin mwyach,' ochneidiodd Arthur. 'Dwi wedi methu, Myrddin.'

'Methu? Twt lol!'

Atseiniodd y llais rhwng brigau'r coed. Cododd Arthur ei ben. Roedd Pelinor yn dod tuag ato. Gyda bloedd neidiodd Arthur ar ei draed, ond brysiodd Myrddin i roi'i fraich ar ei ysgwydd.

'Gan bwyll,' meddai.

'Symud o'r ffordd, Myrddin!' gwaeddodd Arthur. 'Rhaid i fi ymladd.'

'Dyw Pelinor ddim eisiau ymladd,' meddai Myrddin. 'Edrych!'

Roedd Pelinor yn plygu glin o flaen ei frenin. 'Does neb erioed wedi ymladd mor hir yn fy erbyn, nac mor ddewr chwaith,' meddai wrth Arthur. 'A does neb erioed wedi meiddio ymladd yn fy erbyn heb gleddyf. Ti, yn bendant, yw gwir frenin Prydain. Ga i fod yn farchog i ti, f'arglwydd?'

Edrychodd Arthur yn syn ar Myrddin. 'Cei, wrth gwrs,' meddai wrth Pelinor. 'Rwyt ti a fi'n Frythoniaid. Fe ddylen ni helpu'n gilydd.'

'Ac o hyn allan, mi wnawn ni.' Cododd Pelinor ar ei draed, ac er ei fod yn ddyn mor fawr, cripiodd i ffwrdd yn wylaidd ac mor dawel â llygoden, rhag tarfu ar ei frenin.

Ar ôl iddo fynd o'r golwg, rhwbiodd Arthur ei ben. 'Ydw i'n breuddwydio?' gofynnodd i Myrddin. 'Ro'n i'n ymladd â Pelinor yn y cwm a nawr dwi fan hyn. Be ddigwyddodd?'

'Pan oeddet ti'n reslo â Pelinor, fe syrthiaist a tharo dy ben ar graig,' eglurodd Myrddin. 'Roedd Pelinor yn dy edmygu gymaint am ddal ati i ymladd heb gleddyf, fe gariodd o ti yma bob cam. Gyrrodd o Cai a'r lleill i ffwrdd, er mwyn i ti gael gorffwys.

Ers hynny dwi wedi bod yn edrych ar dy ôl.'

'A rhwbio eli drosta i,' meddai Arthur, gan gyffwrdd â'r eli ar ei dalcen a'i arogli. 'Cwmffri a milddail?'

'Does dim yn well ar gyfer cur pen,' meddai Myrddin.

'Na.' Gwenodd Arthur yn drist a chodi ei bwt o gleddyf. 'Ond all neb wella hwn.'

'Mae'n ddigon hawdd cael cleddyf arall,' oedd yr ateb.

Cyn i Arthur gael cyfle i ofyn sut, estynnodd Myrddin ei fysedd a rhwbio rhagor o eli ar ei dalcen. Caeodd Arthur ei lygaid. Swatiodd yn glyd yn y mwsog a chysgu'n drwm.

Deffrowyd Arthur gan gri tylluanod a sŵn llygod bach yn y gwair. Disgleiriai'r lleuad fel tarian fawr, felen dros y coed.

'Lleuad yr Heliwr,' meddai llais ei hen athro.

Safai Myrddin ar gwr y llannerch a'i ffon yn ei law. Cododd Arthur ar unwaith. Pan oedd yn fach, ar noson glir fel hon, byddai Myrddin yn mynd ag e allan i'r caeau i syllu ar y sêr. Tybed a fyddai'n dal i'w cofio? Oedd, dyna'r Arth, yr Alarch, y Ci . . .

Roedd Myrddin wedi dysgu cymaint iddo, ond doedd e ddim wedi dysgu'r cyfan, chwaith. Ble mae fy nheulu? Pwy ydyn nhw? meddyliodd Arthur. A sut oedd Myrddin yn gwybod y byddwn i'n frenin? Wrth ddilyn ei hen ffrind drwy'r goedwig, a gwylio patrymau'r lloer yn dawnsio ar ei glogyn, penderfynodd Arthur ofyn am atebion i'w gwestiynau, cyn gynted ag y cyrhaedden nhw ben eu taith.

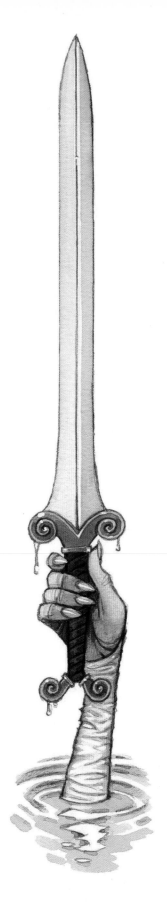

Ond pan gamodd o'r goedwig, fe anghofiodd bob dim. O'i flaen gorweddai llyn dan gwrlid o niwl. Aeth Myrddin at gwch oedd yn gorwedd yn y brwyn ger y lan. Amneidiodd ar Arthur i ddringo i mewn, a phan oedd y ddau yn eu lle, llithrodd y cwch i'r dŵr a'u cludo'n esmwyth i ganol y llyn. Yno crynodd y niwl, ac o'r dŵr cododd cleddyf hardd a llaw wen yn gafael ynddo'n dynn.

'Cymer y cleddyf, Arthur,' meddai Myrddin.

Ond ysgwyd ei ben wnaeth Arthur. Doedd bosib bod hwn yn gleddyf go iawn.

'Cymer o,' mynnodd Myrddin.

Pwysodd Arthur yn betrus dros ymyl y cwch. Teimlodd gyffyrddiad mor ysgafn â'r niwl ei hun, a diflannodd y llaw wen gan adael y cleddyf yn ei ddwrn. Cleddyf solet a thrwm! Gwasgodd ei fysedd yn dynn am y carn a'i godi uwch ei ben.

Llifodd golau'r lleuad ar hyd y llafn a thros wyneb Myrddin.

'Ei enw yw Caledfwlch,' meddai Myrddin a'i lygaid yn serennu. 'Ti biau hwn, fy mrenin, tra bydd ei angen arnat. Gwna ddefnydd da ohono.'

'Caledfwlch!'

Fisoedd lawer yn ddiweddarach atseiniai'r floedd uwchben Mynydd Baddon. Trodd Arthur at ei farchogion a'i filwyr dewr. Ers y noson y daeth Caledfwlch i'w feddiant, roedd e a'i fyddin wedi ymladd un frwydr ar ddeg yn erbyn y Sacsoniaid. Hon fyddai'r ddeuddegfed. Yn ymyl y maes gorweddai adfeilion Aquae Sulis, un o demlau'r Rhufeiniaid. Roedd y Rhufeiniaid, a fu'n rheoli Prydain am dros bedair canrif, wedi hen ddiflannu o'r wlad.

'Rhaid i'r Sacsoniaid fynd hefyd,' bloeddiodd y brenin. 'Heddiw fe drechwn ni'r gelyn.'

'Caledfwlch!' rhuodd Pelinor.

'Caledfwlch!' rhuodd Cai a Gwalchmai a Bedwyr ac arglwyddi'r Brythoniaid i gyd.

Rhuodd y milwyr traed. Ffrwydrodd y sŵn dros y tir a dychryn yr henoed yn y caeau ugain milltir i ffwrdd. Ar ben Mynydd Baddon cydiodd y Sacsoniaid yn dynnach yn eu harfau. Roedden nhw ar dir uchel. Sut gallen nhw golli?

Ond unwaith eto atseiniodd y floedd: 'Caledfwlch!' Roedd y Brythoniaid wedi amgylchynu Mynydd Baddon, ac yn rhuthro i fyny'r llethrau fel tonnau'r môr. Yn eu harwain roedd brenin â phen draig ar ei helmed, a fflach o dân yn ei law.

'Caledfwlch!'

'Caledfwlch!'

Fflachiodd y fflam dân i'r chwith ac i'r dde. Dawnsiodd tuag at y Sacsoniaid gan ddwyn braw ac anobaith. Doedd 'na unlle i ddianc. Roedd byddin Arthur wedi cau o'u cwmpas. Y diwrnod hwnnw bu farw cannoedd o Sacsoniaid a'r enw 'Caledfwlch' yn atsain yn eu clustiau.

Erbyn iddi nosi roedd y Brythoniaid wedi trechu'r gelyn yn llwyr. Gwthiodd Arthur ei gleddyf yn ôl i'r wain a gwylio'r caeau'n disgleirio dan y machlud haul.

'Gwranda,' meddai wrth Cai. 'Pa sŵn wyt ti'n glywed?'

'Dim,' atebodd Cai'n syn. 'Mae pobman yn dawel.'

Gwenodd Arthur a phwyso ar ysgwydd ei frawd maeth. 'Cai,' meddai. 'Sŵn heddwch yw hwn. Heddwch yn lledu dros ein gwlad.'

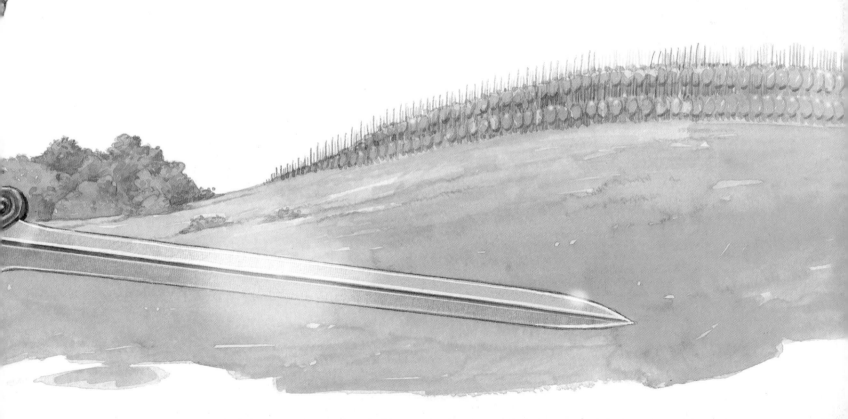

Carcharor y Gaer Ddu

Ar ôl brwydr Mynydd Baddon, roedd bywyd yn braf ar Ynys Prydain. Unwaith eto roedd pobl yn trin y tir, ac yn mynd â'u nwyddau i'r farchnad. Canai'r beirdd ganeuon llon. Roedd y wlad yn heddychlon, a doedd neb yn ymladd heblaw mewn twrnameintiau.

Ar Galan Mai y flwyddyn ganlynol, yn yr eglwys yn Llundain lle coronwyd e'n frenin, priododd Arthur â Gwenhwyfar, merch Gogfran, Arglwydd Gwent. Anrheg Gogfran i'r ddau oedd darn o dir.

'Fe godwn ni gastell fan hyn,' meddai Arthur wrth ei wraig brydferth. 'Castell na fu ei debyg erioed o'r blaen. Castell i'n gwarchod rhag y gelyn yw Caerllion, ond castell heddwch fydd hwn. Ei enw fydd Camelot.'

Cyn dechrau'r gwaith adeiladu, roedd rhaid clirio'r tir. Torrwyd llawer o goed, a gorchmynnodd Arthur i'w seiri lifio'r pren ac adeiladu bord gron â digon o le i bob un o'i farchogion. Roedd y ford mor fawr fel y codwyd muriau'r castell o'i hamgylch.

Pan oedd y gwaith ar ben, galwodd Arthur ei farchogion i Gamelot.

'O gwmpas y ford hon bydd pawb yn gyfartal,' meddai. 'Gyda'n gilydd fe dyngwn ni lw i helpu'r gwan, i amddiffyn pawb sy'n cael cam, ac i beidio byth ag ymladd heb reswm da.'

Doedd 'na'r un castell yn y byd mor hapus â Chamelot, ac roedd Arthur am i bawb drwy'r wlad for mor hapus ag e. 'Ar ôl trechu'r Sacsoniaid, does gen i ddim gelynion,' meddai wrth Gwenhwyfar. Ond yn anffodus, heb yn wybod i Arthur, doedd hynny ddim yn wir.

Un diwrnod, daeth Cai at y brenin. 'Mae 'na wraig yng Nghernyw o'r enw Morgana sy'n dweud ei bod yn hanner chwaer i ti,' meddai.

Allai Arthur ddim credu'i glustiau. Anfonodd neges yn gwahodd Myrddin i'r llys. Pan gyrhaeddodd ei hen ffrind, aeth ag e'n syth i'w stafell breifat.

'Fi yw Prif Frenin Prydain, a dwi'n gwybod dim am hyn,' meddai. 'Oes gen i hanner chwaer?'

Nodiodd Myrddin yn araf. 'Fe ddweda i'r hanes i gyd wrthot ti,' atebodd. 'Ond yn gynta, dwi am i ti addo peidio â dweud gair nes i fi gyrraedd diwedd y stori. Hefyd, dwi am i ti gofio hyn, Arthur. Hebddot ti, fyddai 'na ddim heddwch yn ein gwlad.'

Cytunodd Arthur, a gwrandawodd yn dawel ar hanes ei enedigaeth yng Nghastell Tintagel. Clywodd am y tro cyntaf enwau'i fam a'i dad, Eigr o Gernyw ac Uthr Bendragon.

'Es i â ti i'r goedwig,' meddai Myrddin. 'Oni bai am hynny, fe fyddet ti wedi tyfu'n ymladdwr fel dy dad, yn hytrach na brenin meddylgar a doeth.'

'A phwy yw Morgana?' gofynnodd Arthur yn swta.

'Merch dy ddiweddar fam a'i gŵr cyntaf, y Brenin Gorlois,' atebodd Myrddin.

Cochodd Arthur mewn cywilydd. 'Yna dwi wedi gwneud cam mawr â hi!'

'Dwyt *ti* ddim!' wfftiodd Myrddin.

'Collodd Morgana ei thad yn yr ymosodiad ar Gastell Dymolt!' llefodd Arthur.

'Byddai cannoedd ar gannoedd o bobl ein gwlad wedi marw oni bai dy fod di wedi dwyn y rhyfela i ben,' mynnodd Myrddin yn chwyrn. 'A phaid â phoeni gormod am Morgana. Dyw hi ddim mor ddiniwed ag y mae'n edrych.'

Ond roedd Arthur yn casáu annhegwch a chreulondeb. Allai e ddim cysgu'r noson honno.

'Mae gen i hanner chwaer yng Nghernyw,' meddai wrth Gwenhwyfar, 'ac fe gollodd ei thad er mwyn i fi gael bod yn frenin.'

'Yna cer i'w gweld,' meddai Gwenhwyfar, 'a chynnig ei helpu.'

Yn ei llys yng Nghernyw, roedd Morgana'n paratoi ar gyfer ymweliad Arthur. Roedd hi'n gwybod y dôi i'w gweld ryw ddydd. Roedd hi'n gwybod llawer o bethau.

Ar fore'r ymweliad, safodd Morgana o flaen ei drych a rhoi powdwr pinc ar ei bochau. Roedd hi a'i hanner brawd yn hollol wahanol i'w gilydd. O dan y powdwr roedd croen Morgana mor wyn â'r eira, a'i gwallt mor ddu â'r frân. Dyn caredig a maddeugar oedd Arthur, ond roedd calon ei chwaer yn llawn casineb. Roedd hi'n casáu Arthur am fod ei enedigaeth wedi achosi marwolaeth ei thad. Roedd hi'n casáu Myrddin hefyd, ac wedi dysgu sut i wneud swynion er mwyn ei drechu.

'Mae'n ddigon hawdd esgus bod yn ddoeth ac yn dda,' meddai wrth Medrawd, ei mab, 'ond fe wnaeth Myrddin gam mawr â fi flynyddoedd yn ôl. Dyna pam dwi'n ei gasáu, a dyna pam dwi'n mynd i ddial arno fe a'i ffrind, Arthur.'

Disgleiriodd llygaid Medrawd. Gwyliodd ei fam yn ymbincio o flaen y drych a cheisio dyfalu beth yn union oedd ei chynlluniau.

Pan gyrhaeddodd Arthur, brysiodd Morgana i'w gyfarch. Roedd gwrid ar ei bochau a'i gwallt yn cyrlio'n ddel dros ei chlustiau, ond edrychai'n drist ac anniddig.

'Fy chwaer annwyl,' meddai Arthur, gan blygu'i ben a chusanu'i llaw.

'Frawd,' ochneidiodd Morgana. 'Diolch am ddod i 'ngweld. Fe fyddai hwn yn ddiwrnod hapus dros ben i mi, oni bai fy mod mewn gofid mawr.'

'Be sy'n bod?' gofynnodd Arthur.

'Mae gen i ffrind annwyl sy'n hiraethu am ei mab, Gweir,' meddai Morgana, gan sychu deigryn o'i llygad. 'Cipiwyd Gweir pan oedd yn fachgen bach, ac ers blynyddoedd mae'n garcharor yng Nghaer Siddi, y castell du ym môr y gorllewin. Mae ei fam yn torri'i chalon. Fydd hi ddim byw'n hir os na chaiff hi Gweir yn ôl. Pe gallwn i, fe awn i'w achub heddi nesa.'

'Paid ti â gwneud dim,' meddai Arthur, gan wasgu ei llaw'n dynn. Dyna wraig garedig a dewr oedd Morgana! Doedd dim posib cael gwell chwaer. 'Fe alwa i fy marchogion ynghyd, ac fe awn ni ar unwaith i achub Gweir. Does dim caer yn y byd all wrthsefyll Marchogion y Ford Gron.'

Ar ôl i Arthur adael y llys, chwarddodd Morgana nes bod dagrau go iawn yn treiglo drwy'r powdwr ar ei bochau.

'Dyw Caer Siddi ddim yn perthyn i'r byd hwn,' meddai wrth Medrawd.

Doedd hi ddim yn disgwyl i'w hanner brawd ddod adre'n fyw.

Roedd saith deg o farchogion yn bresennol yng Nghamelot pan gyrhaeddodd Arthur yn ei ôl, ac roedd pob un ar dân eisiau helpu Gweir.

Paratowyd y Prydwen, llong y brenin, ar gyfer y fordaith. Llwythwyd catapwlt a phentwr o gerrig mawr ar ei dec. Fore trannoeth aeth y marchogion ar fwrdd y llong a chodi'r angor. Gan nad oedd awel o wynt, rhwyfodd y dynion eu gorau glas. O'i safle ar yr hwylbren, welai'r gwyliwr ddim byd ond tonnau'r môr.

Am ddeuddydd hwyliodd y llong yn dawel tua'r gorllewin. Yna, ar y trydydd diwrnod, clywodd y marchogion sgrechiadau main.

'Be sy 'na?' sibrydodd Gwalchmai'n syn. 'Adar y môr?'

'Nid sŵn adar yw hwnna,' atebodd Arthur. 'Na sŵn dynol chwaith. Dwi'n . . .' Cododd ei ben yn sydyn, wrth glywed llais y gwyliwr.

Roedd y gwyliwr bron â disgyn o'r hwylbren yn ei gyffro. 'Y gaer! Y gaer!' gwaeddai. 'Dwi'n ei gweld ar y gorwel.'

Brysiodd y marchogion i ben blaen y llong a gwylio craig ddu'n codi o'r môr. Ar y graig safai'r gaer dalaf a welodd neb erioed. Roedd ei muriau'n ddu fel y fagddu heb lygedyn o olau yn unman, ac ar ei thyrau gwingai creaduriaid rhyfedd, yn sgrechian a nadu.

'Castell ellyllon yw e!' ebychodd Cai.

'Sut mae ymladd yn erbyn ellyllon?' gofynnodd Gwalchmai'n bryderus.

'Rhaid i ni wneud ein gorau,' meddai Arthur, wrth i gri druenus gyrraedd ei glustiau.

'Mam!' llefai carcharor Caer Siddi. 'Mam!'

Sgrechiodd yr ellyllon yn uwch a hisiodd llais oerllyd dros y tonnau.

'Beth yw'ch neges?' gofynnodd. 'Beth yw'ch neges, Farchogion y Ford Gron?'

Atebodd Arthur yn glir ac yn gadarn. 'Rydyn ni wedi dod i nôl Gweir.'

'Ydych chi, wir?' gwawdiodd y llais. 'Cawn ni weld!'

Distawodd pob awel o wynt. Safodd pob ellyll yn llonydd ac aeth pobman yn dawel fel y bedd. Cysgododd Arthur ei lygaid. Er na allai weld man glanio yn unman, gorchmynnodd i'w farchogion rwyfo yn eu blaen.

Cyn gynted ag y trawodd y rhwyfau'r dŵr, gwibiodd cawod o saethau tanllyd o gyfeiriad Caer Siddi. Disgynnodd llawer i'r môr, ond cafodd Pelinor friw ar ei law a llosgwyd tiwnig Gwalchmai.

'Llwythwch y catapwlt!' gorchmynnodd Arthur. 'Taniwch!'

Siglodd y Prydwen wrth i'r cerrig hedfan o'i chatapwlt a tharo muriau'r gaer. Lapiodd Cai ddarn o'i diwnig am garreg, codi saeth fflamllyd o fwrdd y llong a rhoi'r tiwnig ar dân. Yna lansiodd y garreg o'r catapwlt.

'Does dim llawer o gerrig ar ôl,' meddai Gareth dan ei anadl. 'Be wnawn ni wedyn?'

'Arhoswch!' Yng ngolau'r garreg danllyd, gwelsai Arthur gât fetel yn nhŵr gorllewinol y castell. Gorchmynnodd i'w farchogion rwyfo tuag yn ôl.

'Haaa!' hisiodd y llais hud. 'Rwyt ti'n ildio, Frenin Prydain.'

Edrychodd Cai ar Arthur. Ysgydwodd Arthur ei ben. Pan oedden nhw'n ddigon pell i ffwrdd, gorchmynnodd i Gareth ollwng yr angor.

'Mae 'na gât o dan y tŵr gorllewinol,' meddai. 'Rhaid i ni anelu am honno. Fory, cyn toriad gwawr, fe hwyliwn ni at y gaer, ac fe gaiff criw bach ohonon ni nofio at y gât, tra bydd y lleill yn tynnu sylw'r ellyllon.'

'Fe nofia i,' meddai Cai ar unwaith.

'A fi,' cynigiodd Bedwyr, Gwalchmai a Geraint.

Diolchodd Arthur i'w farchogion ffyddlon. Pwysodd ei law ar garn Caledfwlch a gwylio muriau duon Caer Siddi yn diflannu i'r nos.

Roedd hi'n dywyll pan ddeffrôdd y brenin. Yn ei ymyl roedd ei farchogion yn ystwyrian. Clywodd y rhwyfau'n llithro i'w lle a chlec arfwisg Cai yn disgyn ar y dec wrth ei draed. Byddai Cai a'i ffrindiau'n cyrraedd y gaer heb ddim ond cyllell a chleddyf i'w hamddiffyn.

Sleifiodd y Prydwen yn ei blaen. Drwy'r tywyllwch dôi sŵn bachgen yn wylo. Cryfhaodd y sŵn nes bod yr awyr yn crynu, a symudodd Cai a'r tri marchog arall i ochr draw'r llong. Yn dawel bach, fe ddisgynnon nhw dros yr ymyl, a dal eu gafael wrth i'r Prydwen hwylio'n nes ac yn nes at y gaer.

'Aaaaaaaaaa.' Chwythodd anadl hir o gyfeiriad Caer Siddi. Crinodd barfau'r marchogion a chododd mwg o wyneb y môr. 'Dwi'n dy weld di, Frenin Prydain,' meddai'r llais.

'Dim ots gen i,' atebodd Arthur. 'Rydyn ni wedi dod i nôl Gweir, a wnawn ni ddim gadael hebddo.'

'Byddwch chi yma am byth, felly!'

'Na fyddwn!' gwaeddodd y marchogion ag un llais, gan godi'u tarianau uwch eu pennau. Yng nghanol y sŵn, gollyngodd Cai, Bedwyr, Gwalchmai a Geraint eu gafael ar y llong a nofio tuag at y tŵr gorllewinol.

Hedfanodd cawod o saethau tanllyd tuag at y Prydwen. Daliodd y marchogion bob saeth ar eu tarianau a'u taflu'n ôl â'u holl nerth. Gwibiodd y saethau drwy'r awyr, taro'r muriau a disgyn i'r tonnau gan hisian.

Roedd Arthur yn gwylio'r gât. Pan welodd fflach o olau, fe wyddai fod y pedwar nofiwr wedi llwyddo i fynd i mewn i'r gaer.

'Llwytha'r catapwlt,' sibrydodd wrth Pelinor. 'Anela'r cerrig tuag at y tyrau.'

Hedfanodd y garreg gyntaf yn uchel i'r awyr. Trawodd yn erbyn saeth danllyd a'i hyrddio'n ôl at y tŵr. Sgrechiodd ellyllon mewn poen.

'Rydych chi'n teimlo poen, felly?' gwaeddodd Arthur. 'Byddwch yn barod am fwy.'

Lansiodd Pelinor garreg arall i'r awyr, ond chwarddodd y llais hud.

'Wnaiff eich twba bach pren fyth goncro Caer Siddi,' meddai'n wawdlyd. 'Byth bythoedd!'

Daeth y gawod saethau i ben, ond cryfhaodd yr arogl llosgi. Fflamiodd yr awyr uwchben y tyrau.

'Maen nhw'n mynd i arllwys tân ar ein pennau!' meddai Arthur. 'Rhwyfwch, ddynion, cyn i'r Prydwen losgi'n ulw. Rhwyfwch, ond cadwch yn dynn at furiau'r gaer.'

Wrth i'r dynion rwyfo â'u holl nerth, rholiodd afon o dân i lawr muriau Caer Siddi, a disgyn i'r môr yn yr union fan lle bu'r Prydwen funud ynghynt. Sgubodd ton gynnes yn erbyn y llong, a'i thaflu'n nes at y gaer. Crafodd ei gwaelod yn erbyn y creigiau tywyll.

'Maen nhw'n cynnau rhagor o danau!' gwaeddodd Ector, wrth i fflamau neidio ar draws y muriau uchel. 'Rhaid i ni gilio'n ôl.'

'Na!' meddai Arthur. 'Rydyn ni'n agosáu at y gât. Bydd fflamau'r tanau'n dallu'r ellyllon, felly dyma'n cyfle i lanio. Rhaid i ni adael y llong a gobeithio'r gorau.'

Wrth i Arthur a'i ddynion ddringo ar y creigiau gwlyb, rholiodd ffrwd arall o dân i lawr y muriau a disgyn i'r tonnau. Cododd stêm o'r môr a chuddio'r marchogion.

'Brysiwch, cyn i'r wawr dorri,' meddai Arthur, gan dynnu Caledfwlch o'r wain ac anelu am y gât gilagored. Cyn gynted ag yr oedd y marchogion wedi sleifio i'r twnnel tywyll y tu draw, goleuwyd yr awyr gan ragor o fflamau. Sgrechiodd yr ellyllon eu dicter.

Ector oedd yr olaf i ddod drwy'r gât. 'Mae'r Prydwen yn ddiogel,' sibrydodd, 'ond mae'r ellyllon wedi sylwi bod y llong yn wag.'

'Yna byddwch yn barod i ymladd.'

Ysgydwyd y gaer gan dwrw dychrynllyd. Rhedodd Arthur a'i farchogion i fyny'r grisiau a chyrraedd iard lle dawnsiai cysgodion. Ar y muriau uwchben safai'r

ellyllon o gwmpas crochanau o dân.

'Cuddiwch!' siarsiodd Ector. 'Os gwelan nhw ni, fe arllwysan nhw'r tân ar ein pennau.'

'Aaaaaaaa!' Neidiodd y fflamau yn y crochanau wrth i'r ellyllon ruthro i sefyll rhyngddyn nhw a'r môr. Ffurfiodd cwmwl du uwchben y marchogion. 'Aaaaaaaa,' meddai llais o'r cwmwl. 'Dwi'n dy weld di, Frenin Prydain. Rwyt ti wedi methu. Fe fyddi di hefyd yn garcharor. Fe . . .'

Chwalodd y cwmwl wrth i glec enfawr atsain o gyfeiriad y crochanau. Gwibiodd fflam o dân ar hyd y muriau, a thasgodd ellyllon drwy'r awyr gan sgrechian a gwingo mewn poen. Wrth i'r haul godi yn y dwyrain, daeth Cai, Bedwyr, Gwalchmai a Geraint i'r golwg ar y tŵr gorllewinol. Roedden nhw wedi clymu pedair picell at ei gilydd, ben wrth gynffon, ac wedi'u defnyddio i ddymchwel y crochanau a gyrru'r tân dros y gelyn.

'Fy marchogion dewr!' gwaeddodd Arthur, gan saliwtio'r pedwar dyn â'i gleddyf, cyn troi i frwydro'n erbyn y creaduriaid dychrynllyd oedd yn ymosod ar ei farchogion â'u dannedd miniog a'u crafangau chwim. Y tu ôl iddyn nhw, drwy'r gatiau bwaog bob ochr i'r iard, rhuthrai milwyr mewn mygydau.

Crynai muriau Caer Siddi i sŵn cleddyfau. Llifai gwaed dros gerrig yr iard. Cymerodd Cai, Bedwyr, Gwalchmai a Geraint arfwisgoedd marchogion marw a brwydro tuag at Arthur.

'Sut ydyn ni'n mynd i ddod o hyd i Gweir?' galwodd Cai. 'Clywais i e'n crio'n gynharach, ond mae gormod o sŵn erbyn hyn. Ble mae dechrau chwilio?'

Edrychodd Arthur o'i gwmpas. Yn ymyl un bwa safai cawr o ddyn â chleddyf yn ei law. Er ei fod yn ei amddiffyn ei hun rhag y marchogion, gwrthodai symud cam.

'Mae'r cawr yn amddiffyn y gât yna!' gwaeddodd Arthur. 'Rhaid bod Gweir yno'n rhywle.'

Anelodd Arthur am y gât, gan ymladd bob cam o'r ffordd. Tra oedd Cai a'i dri chydymaith yn herio'r cawr, sleifiodd Arthur o dan y bwa, a brysio at y grisiau troellog oedd yn disgyn i grombil y graig ddu.

Cyn hir roedd y grisiau'n culhau a'r muriau'n cau'n dynnach amdano. Yna, wrth i sŵn y frwydr bellhau, clywodd rywrai'n anadlu'n ddwfn, a gweld cysgodion fflamau'n neidio drwy'r tywyllwch. Cripiodd i waelod y grisiau a sbecian i'r stafell ar ei ochr chwith. Yno roedd naw morwyn yn penlinio o gwmpas crochan hardd, ac yn chwythu ar y tân oddi tano.

Tra oedd Arthur yn eu gwylio, atseiniodd sŵn traed ei farchogion ar y grisiau uwchben. Dychrynodd y morynion a stopio chwythu. Pylodd y fflamau, a phan gamodd Arthur i mewn i'r stafell, galwodd llais dwfn o'r crochan: 'Bwyta, ddyn dewr. Bwyta.'

'Arthur!' Rhedodd Cai, Bedwyr, Gwalchmai a Geraint i mewn i'r stafell â'u cleddyfau yn eu dwylo. 'Wyt ti'n ddiogel?'

'Dwi'n berffaith ddiogel.' Gwenodd Arthur yn dawel. 'A chithau hefyd,' meddai wrth y naw morwyn. 'Dwedwch wrtha i, pa fath o grochan yw hwn?'

'Crochan y Dewr,' oedd yr ateb. 'Mae'n coginio bwyd i'r dewr, ond yn gwrthod coginio i ddynion llwfr.'

'Dyna be sydd ei angen arnon ni yng Nghamelot,' meddai Cai.

'Sh!' meddai Arthur, a phwyntio at ddrws yn y wal bellaf.

Y tu ôl i'r drws roedd rhywun yn crio. Pwniodd Arthur y bolltau â'i ddwrn. Agorodd y drws ac yng ngolau gwan y tân, gwelodd gell ddu a dyn ifanc yn swatio yn ei gwrcwd mewn cornel. Cuddiodd y dyn ifanc ei wyneb yn ei ddwylo a griddfan mewn dychryn.

'Mam!' sgrechiodd. 'Mam!'

'Dere di, Gweir,' meddai Arthur. 'Rydyn ni wedi dod i dy achub a mynd â ti'n ôl at dy fam.' Cododd y corff bach main dros ei ysgwydd. 'Dere â'r crochan,' meddai wrth Cai.

Er gwaetha gwres y fflamau, doedd y crochan ei hun ddim yn boeth. Cododd Cai'r llestr ar ei gefn, a chan adael y morynion syn yn eistedd ger lludw'r tân, brysiodd y marchogion i fyny'r grisiau.

Roedd y frwydr ar ben, a'r unig sŵn oedd yr ochneidiau o boen a atseiniai rhwng muriau Caer Siddi. Casglodd Arthur y marchogion oedd yn dal yn fyw a mynd â nhw'n ôl at y Prydwen. Codwyd yr angor a hwyliodd y llong tuag adre heb oedi.

Safai Morgana ar glogwyn uwchben y môr. Gwasgodd ei dannedd yn dynn wrth weld y llong yn nesáu. Doedd hi'n poeni dim am Gweir, nac am ei fam chwaith. Un

peth yn unig oedd yn bwysig i Morgana,

a marwolaeth Arthur oedd hwnnw.

'Amynedd piau hi,' hisiodd dan ei gwynt.

'Amynedd . . .'

Syr Lawnslot a'r Capel Enbyd

Lledodd y sôn am farchogion Arthur drwy Brydain a thu hwnt. Roedd pawb yn canmol eu cwrteisi a'u dewrder, a chanai beirdd eu clod. Ond roedd bywyd y marchogion yn beryglus. Roedd llawer yn marw wrth amddiffyn y gwan a'r truenus, ac wylai'r brenin ar ôl pob un o'i ddynion glew.

'Welwn ni byth mo'u tebyg eto,' meddai'n drist wrth Gwenhwyfar. 'Pwy all gymryd eu lle?'

'Mae gen ti Grochan y Dewr,' atebodd y frenhines. 'Pan fydd marchog newydd yn ymweld â'r llys, gofyn i'r crochan a yw e'n ddigon dewr i fod yn Farchog y Ford Gron.'

Dôi marchogion o bell ac agos i Gamelot. Roedd rhai'n ddewr iawn, a rhai'n llai dewr. Yn ôl cyngor Gwenhwyfar, gofynnodd Arthur i'r crochan ddewis rhyngddyn nhw. Ond dim ond dewis yn ôl dewrder wnâi'r crochan. Fedrai e ddim edrych i mewn i galonnau dynion. Felly, pan gyflwynodd Morgana ei mab i'r llys, berwodd y crochan yn frwd, a chafodd Medrawd ei enw mewn llythrennau aur ar un o seddau'r Ford Gron.

Roedd Arthur wrth ei fodd. 'Croeso i tithau aros yng Nghamelot pryd bynnag y mynni di,' meddai wrth Morgana. 'Fe ofala i fod stafell yn barod bob amser ar dy gyfer.'

Diolchodd Morgana'n wresog i'w brawd, ond disgleiriai'i llygaid yn ei hwyneb pinc. Yn wahanol i'r crochan, roedd hi'n deall calonnau dynion ac yn fodlon defnyddio'r wybodaeth honno i'w dinistrio.

Un diwrnod, pan oedd Morgana'n cerdded drwy iard y llys, gwelodd farchog ifanc golygus yn nesáu at borth y castell.

'Lawnslot, Marchog y Llyn ydw i,' meddai wrth y porthor, a'i lais mor fwyn â llais y brenin ei hun. 'Cefais fy ngeni ger y llyn yng nghoedwig Eryri lle mae Myrddin yn byw.'

Pan glywodd Morgana enw'i gelyn, teimlodd y gwres yn codi i'w bochau, er i'w chroen, o dan y powdwr, aros mor wyn ag erioed. Os oedd Lawnslot yn ffrind i Myrddin, rhaid ei ddifa.

Dilynodd Morgana'r marchog i mewn i'r Neuadd Fawr. Tawelodd y neuadd ar unwaith. Roedd Lawnslot yn dal a chydnerth. Disgleiriai ei wallt du fel adain y drudwy. Roedd ei lygaid mor las â'r môr ganol haf, a'i fochau'n frown ac yn esmwyth fel cnau'r gollen. Ond ei wên feddylgar a'i osgo gwylaidd hoeliai sylw pawb.

Cusanodd y marchog law ei frenhines, a phlygu glin o flaen ei frenin.

'F'arglwydd,' meddai. 'Lawnslot, Marchog y Llyn, at dy wasanaeth.'

Cymerodd Arthur ato'n syth, ond er tegwch i'r marchogion eraill, mynnodd fod Lawnslot yn sefyll y prawf. Felly fe ofynnodd i Gwenhwyfar fynd â'r dyn ifanc at Grochan y Dewr. Berwodd y crochan yn gyflymach nag erioed a chroesawyd Lawnslot i'r Ford Gron. Aeth i eistedd yn ymyl Medrawd.

Wrth i Lawnslot gymryd ei le, gwelodd Medrawd ei fam yn sgyrnygu yn y cysgodion. Winciodd arni a throi at y marchog.

'Croeso i ti, Lawnslot,' meddai, gan estyn llaw gyfeillgar. 'Dwed dy hanes wrthon ni. Rwyt ti'n ymladdwr heb dy ail, dwi'n siŵr. Sawl ellyll wyt ti wedi'i ladd? Sawl cawr?'

'Dim un,' atebodd Lawnslot yn foesgar. 'Dwi erioed wedi ymladd yn erbyn gelyn. Gwlad heddychlon yw hon ers i Arthur ddod yn frenin.'

Edrychodd Medrawd arno'n syn. 'Mae'r wlad yn heddychlon am ein bod ni'r marchogion yn amddiffyn y gwan ac yn ymladd yn erbyn y drwg,' meddai. 'Mae sawl un wedi marw yn y frwydr.'

Syllodd Lawnslot ar yr wynebau creithiog o'i gwmpas a gwrido mewn cywilydd. Dwi wedi treulio fy oes yn nhawelwch y coed a'r llynnoedd, meddyliodd. Does gen i ddim hawl i fod yma. Fe adawa i Gamelot ar unwaith, a wna i ddim dod yn ôl nes i mi brofi fy newrder.

Gadawodd Lawnslot y llys y noson honno. Gwyliodd Morgana a Medrawd e'n marchogaeth i ffwrdd.

'Y ffŵl!' meddai Morgana. 'Ddaw e ddim yn ôl yn fyw. Fe ofala i fod marchogion Arthur yn marw o un i un. Wedyn ti fydd yr unig un ar ôl, Medrawd. Ti fydd y brenin.'

'A phan fydda i'n frenin, Mam annwyl,' meddai Medrawd â gwên filain, 'dyna ddiwedd ar Gamelot a holl gynlluniau'r Brenin Arthur.'

Teithiodd Lawnslot ar hyd a lled Prydain. Gwelodd blant yn chwarae. Gwelodd bobl yn gweithio yn y caeau, ond welodd e neb oedd angen help. Yna, yn gynnar un bore, ar ôl misoedd o chwilio, daeth at goedwig laith. Closiai pennau'r coed at ei gilydd, a chrogai mwsog drewllyd o bob cangen. Rhusiodd ceffyl Lawnslot a gwrthod mynd yn nes. Wrth i'r marchog roi plwc i'r awenau a cheisio'i yrru yn ei flaen, clywodd udo trist. Roedd ci bach gwyn yn crynu ar gwr y goedwig. Gan udo'n uwch ac edrych dros ei ysgwydd, rhedodd y ci yn ddyfnach i'r coed. Roedd yn amlwg yn galw am help.

Disgynnodd Lawnslot o'r cyfrwy a chlymu ei geffyl wrth goeden. Cripiodd yn ei gwrcwd dan y canghennau isel a brwydro drwy'r rubanau o fwsog a lithrai fel malwod dros ei wyneb. Yn y tywyllwch welai e ddim byd ond cysgod bach gwyn y ci yn brysio o'i flaen.

Daeth at lannerch gorslyd. Rhedodd y ci yn ysgafndroed dros y tir gwlyb, a llusgodd Lawnslot drwy'r mwd ar ei ôl, nes cyrraedd pont ar draws nant fechan. Yr ochr draw i'r bont roedd llwybr yn arwain at blasty llwm. Er bod eiddew yn drwch dros bob ffenest, roedd y drws yn gilagored. Wrth i Lawnslot ddilyn y ci at y drws, gwelodd ddafnau o waed ar lawr, a chlywed crio torcalonnus. Rhuthrodd i mewn i'r plasty a'i gleddyf yn ei law. Trodd y crio'n sgrechian gwyllt. Yn y neuadd safai gwraig a'i hwyneb fel mwgwd gwyn.

'A!' sgrechiodd, a'i thaflu ei hun ar y llawr o'i flaen. 'Paid â'm lladd i! Paid â'm lladd i!'

'Wna i ddim niwed i ti!' meddai Lawnslot, gan estyn llaw a'i chodi ar ei thraed. 'Dwi wedi dod i gynnig help.'

'Yna chwilia am y dyn sy newydd lofruddio fy ngŵr!' llefodd y wraig. 'Fydda i byth yn ddiogel nes i hwnnw gael ei ladd. Dos ar ei ôl a'i ddal, da ti! Draw fan'na. Dos!'

Dangosodd lwybr yn arwain drwy'r coed tua'r dwyrain. Roedd y llwybr yn llawn o flodau a mieri, a'r haul yn tywynnu ar hyd-ddo. Rhedodd y marchog nerth ei draed nes gweld cysgod yn symud yn y pellter.

'Aros, ddihiryn!' rhuodd, gan neidio o'r goedwig a chodi'i gleddyf.

Ond er ei syndod, doedd dim sôn am ddihiryn. Ar ymyl yr hewl a redai drwy'r coed safai merch ifanc. Rhedodd hi tuag ato a gafael yn ei fraich.

'Farchog dewr,' meddai'n daer. 'Wnei di fy helpu?'

'Gwnaf,' atebodd Lawnslot a'i wynt yn ei ddwrn. 'Ond yn gynta rhaid i fi ddal llofrudd. Welaist ti e'n mynd heibio?'

'Llofrudd?' ebychodd y ferch. 'Wyt ti wedi bod yn y Plasty Llwm?'

'Ydw,' atebodd Lawnslot.

'Welaist ti wraig ag wyneb gwyn fel yr eira?'

'Do,' meddai Lawnslot. 'Mae ei gŵr wedi marw a dwi wedi addo dial ar y llofrudd.'

'Yna rwyt ti wedi gwneud addewid i wrach!' llefodd y ferch. 'Bwystfil o ddyn oedd ei gŵr, a chafodd e mo'i lofruddio. Bu farw mewn gornest deg. Meliot, fy mrawd, laddodd y bwystfil, a nawr mae Meliot ei hun yn marw. Wnaiff ei glwyfau ddim gwella am fod y wrach wedi bwrw swyn arno. Wnei di ei helpu, Syr Lawnslot?'

Gostyngodd Lawnslot ei gleddyf a syllu arni'n syn.

'Sut wyt ti'n gwybod pwy ydw i?' gofynnodd.

'Fe ddaeth Myrddin ata i mewn breuddwyd,' atebodd y ferch. 'Dwedodd wrtha i y byddet ti'n dod ffordd hyn. Ro'n i'n disgwyl amdanat ti.'

Edrychodd Lawnslot i fyw llygaid y ferch. Roedd hi'n dweud y gwir! 'Os siaradodd Myrddin â ti, mi wna i dy helpu ar unwaith,' meddai. 'Beth wyt ti am i mi ei wneud?'

'Dwi am i ti fynd i'r Capel Enbyd,' atebodd hithau. Wrth glywed yr enw, gwywodd y dail ar y coed a disgyn yn llwch. 'Yno fe weli di farchog. Cymer ei gleddyf a darn o sidan. Dyna'r unig bethau all achub fy mrawd.'

'Ble mae'r Capel Enbyd?' gofynnodd Lawnslot.

'Dilyn fi, farchog dewr.'

Aeth y ferch â Lawnslot at fryn uwchben cwm cul. Islaw, yn y caeau, swatiai adeilad llwyd.

'Dyna'r capel,' meddai.

Crynodd Lawnslot. Er bod y caeau'n disgleirio yn yr haul, glynai cysgodion wrth furiau'r capel. O'r to crogai rhes o darianau, pob tarian a'i phen i lawr i ddangos bod ei pherchennog wedi marw. Cododd Lawnslot ei darian ei hun.

'Dos di'n ôl,' meddai wrth y ferch. 'Aros amdana i ar yr hewl, ac mi ddo' i â'r ddau beth i ti.'

Ar ôl i'r ferch fynd, brysiodd Lawnslot i lawr i'r cwm. Siglai'r cysgodion ar furiau'r capel ac ymestyn tuag ato. O bell edrychent fel blodau dierth yn ysgwyd yn y gwynt, ond, wrth i Lawnslot fynd yn nes, gwelodd mai ysbrydion oedd yno, ysbrydion marchogion a fu unwaith yn brwydro dros degwch a daioni. Roedd pob cysgod yn dalach a theneuach na'r un marchog byw. Gwibiai pelydrau'r haul drwy eu llygaid gwag, a chrensiai dannedd anweledig yn eu cegau.

'Symudwch, ffrindiau,' meddai Lawnslot yn fwyn. 'Dwi wedi dod i chwilio am farchog all achub bywyd dyn ifanc.'

Crensiodd y dannedd anweledig yn uwch, ond siglodd y cysgodion tuag yn ôl a

gadael i Lawnslot fynd i mewn i'r Capel Enbyd.

Ar lawr y capel, yng ngolau lamp, gorweddai corff marchog dan liain sidan. Wrth ei ochr roedd cleddyf gloyw.

Penliniodd Lawnslot yn ei ymyl, a gafael yn dirion yn y lliain. Roedd yn estyn am y cleddyf pan deimlodd ias ar ei wegil. Roedd yr ysbrydion wedi'i ddilyn i mewn i'r capel. Drwy grensian eu dannedd, clywodd leisiau'n griddfan, 'Rho'r cleddyf yn ôl, cyn i grafanc marwolaeth dy ddal di.'

Dododd Lawnslot y lliain ar ei ysgwydd. Cododd ar ei draed a'r cleddyf yn ei law, a throi i wynebu'r ysbrydion truenus. 'Dwi'n mynd â chleddyf a lliain y marchog,' meddai'n dawel, 'achos mae eu hangen ar rywun sy'n glaf.'

'Aaaaaaa!' Closiodd yr ysbrydion bob ochr iddo a'i arwain at ddrws y capel, gan riddfan bob cam. Ar garreg y drws, ciliodd pob un mewn braw. Ar y llwybr o flaen y capel safai gwraig mewn clogyn du a fêl dros ei hwyneb.

'Lawnslot,' sibrydodd. 'Rho'r cleddyf yn ôl.'

'Na wnaf,' atebodd Lawnslot.

'Rho fe'n ôl, farchog dewr, neu fe fyddi'n marw.'

'Na,' meddai Lawnslot. 'Wna i ddim rhoi'r cleddyf yn ôl.'

Ochneidiodd y wraig. 'Rwyt ti'n ddyn dewr iawn,' meddai'n grynedig. 'Rho gusan i fi cyn mynd.'

Plygodd tuag ato, a thrwy'r fêl, gwelodd Lawnslot groen cyn wynned â'r eira.

'Na,' meddai. 'Wna i ddim dy gusanu.'

Daeth dagrau i lygaid y wraig, ac yna dechreuodd feichio crio.

'Dyna ddigon!' meddai Lawnslot yn chwyrn. 'Ti yw gwrach y Plasty Llwm. Dos o 'ma!'

Sgrechiodd y wraig mewn tymer wyllt. Gwibiodd ei chrafangau tuag ato, a gadael creithiau dwfn, fflamgoch ar ei darian.

'Petaet ti wedi fy nghusanu, byddet tithau wedi marw, a'th darian yn crogi o do'r Capel Enbyd. Fi greodd y capel hwn drwy swyn, er mwyn lladd marchogion Arthur. Rwyt ti wedi dianc y tro hwn, ond . . .' Trodd ei geiriau'n sgrech, a diflannodd mewn colofn o fwg du.

Ar ôl i'r mwg glirio, plygodd yr ysbrydion eu pennau a dychwelyd i furiau'r capel. Llithrodd marchog y capel yn araf drwy'r drws a chymryd ei le yn eu plith, a'i darian ben i waered uwch ei ben.

'Diolch am dy sidan a'th gleddyf, ffrind,' galwodd Lawnslot. 'Er na lwyddon nhw i dy achub di, dwi'n gobeithio y gwnân nhw achub dyn ifanc.'

Saliwtiodd Lawnslot y marchog â'i gleddyf ei hun, ac yna gadawodd y cwm a brysio'n ôl at y ferch. Aeth y ddau i'r castell lle roedd Meliot yn gorwedd ar wely.

Roedd llygaid Meliot ynghau a'i wyneb mor welw â'r glustog dan ei ben. Gwasgai ei law dde ar glwyf dwfn oedd yn diferu gwaed.

Pan nesaodd Lawnslot at y gwely, crynodd amrannau Meliot. Pan bwysodd Lawnslot lafn y cleddyf ar y clwyf, cododd y claf ar ei eistedd, a phan lapiodd ei chwaer y darn sidan amdano, cododd ar ei draed. Llifodd y gwrid i'w fochau ac ymgrymodd o flaen Lawnslot.

'Rwyt ti'n ddyn dewr tu hwnt,' meddai.

'Dwi'n un o Farchogion y Ford Gron,' atebodd Syr Lawnslot.

Marchogodd Meliot i Gamelot yng nghwmni Syr Lawnslot. Yno fe adroddodd hanes cyffrous y wrach a'r marchog dewr. Roedd y gwrandawyr i gyd wrth eu boddau. Pawb ond un.

Allai Medrawd ddim dioddef gwrando. Aeth i chwilio am ei fam.

'Rydyn ni wedi methu eto,' poerodd. 'Nid yn unig mae Lawnslot yn fyw ac iach, ond mae'n arwr hefyd. Mae pawb yn ei ganmol i'r cymylau, hyd yn oed y frenhines.'

'Ydy hi, wir?' meddai Morgana a'i llygaid yn disgleirio.

'Ydy, yn bendant,' cwynodd Medrawd. 'Ac mae Myrddin yn helpu Lawnslot. Myrddin anfonodd y ferch ato. Wnawn ni byth drechu Myrddin.'

'O, gwnawn!' chwarddodd Morgana. 'Fe wnaeth Myrddin gam â ni flynyddoedd yn ôl. Fe ddefnyddiwn ni hynny yn ei erbyn, a'i drechu'n llwyr.'

Chwilio am y Greal

Syr Lawnslot oedd y dewraf a'r mwyaf selog o holl farchogion Arthur. Doedd neb tebyg iddo am amddiffyn y gwan a brwydro yn erbyn drygioni. Ond roedd hefyd yn addfwyn a chwrtais. Roedd yn ffyddlon i'w frenin, ac yn caru'i frenhines. Pan oedd Lawnslot yn y llys, doedd dim yn well gan Gwenhwyfar nag eistedd yn ymyl ei gŵr a gwrando ar ei anturiaethau. Pan glywai Morgana'r frenhines yn chwerthin, a gweld ei hwyneb yn disgleirio, chwarddai hithau hefyd. Ond chwerthin creulon oedd ei chwerthin hi.

Un diwrnod, daeth Myrddin i'r llys. Edrychai'n grwm a blinedig. Roedd llwch yn disgyn o odre ei glogyn a haenen o lwch dros ei wyneb a'i farf. Pan aeth Arthur a Gwenhwyfar â'r teithiwr i'w stafell breifat, sleifiodd Morgana ar eu holau a gwrando wrth y drws.

'Rwyt ti wedi blino, Myrddin,' meddai'r brenin.

'Ydw, wir,' ochneidiodd Myrddin, a disgyn yn swp i gadair. 'Dwi newydd farchogaeth drwy'r Tir Anial. Does dim byd yn tyfu yno, dim ond llwch ym mhobman.'

Edrychodd Arthur arno'n syn. Allai e ddim credu bod lle mor ddiffaith o fewn ei deyrnas. 'Oes 'na bobl yn byw yn y Tir Anial?' gofynnodd.

'Oes,' atebodd Myrddin.

'Rhaid i ni eu helpu!' meddai'r brenin yn daer. 'Alla i ddim gadael iddyn nhw fyw yn y fath le.'

'Does ond un ffordd i'w helpu,' atebodd Myrddin. 'Yn y Tir Anial mae trysor gwerthfawr. Pan fydd marchog pur o galon yn cydio yn y trysor hwnnw, bydd y wlad yn troi'n ffrwythlon unwaith eto.'

'Fe alwa i Lawnslot ar unwaith,' meddai Arthur. 'Lawnslot yw marchog gorau'r Ford Gron. Fe gaiff e gydio yn y trysor.'

'Na! Aros.'

Clywodd Morgana gadair yn gwichian a sŵn traed yn nesáu. Diflannodd yn gyflym i'r cysgodion cyn i'r drws agor ac i Myrddin frysio allan gydag Arthur a Gwenhwyfar yn dynn wrth ei sodlau. Sleifiodd Morgana ar eu holau i'r Neuadd Fawr a gwylio Myrddin yn pwyso'i law ar un o seddau'r Ford Gron. Wrth i'w fysedd gyffwrdd â'r pren, daeth enw i'r golwg mewn llythrennau aur.

'Y Sedd Beryglus,' meddai Myrddin. 'Dyma sedd y marchog pur o galon. Fo yn unig all eistedd yma, a fo yn unig all gyffwrdd â'r trysor gwerthfawr. Os bydd marchog arall yn eistedd ar y sedd, bydd yn marw ar unwaith.'

Y noson honno brysiodd Medrawd yn llawn cyffro i ddweud wrth ei fam am y Sedd Beryglus.

'Pur o galon, wir!' wfftiodd. 'Wnes i ddim mentro eistedd ar y sedd, na neb arall chwaith. Ddim hyd yn oed Lawnslot. Allai Gwenhwyfar ddim credu bod ei ffefryn yn gwrthod. Dylet ti fod wedi gweld y sioc ar ei hwyneb.'

'Dylwn!' meddai Morgana dan chwerthin. Ond doedd hi ddim yn synnu o gwbl.

Tra oedd y Sedd Beryglus yn dal yn wag, cynigiodd Lawnslot fynd i'r Tir Anial.

'O leia fe alla i ddarganfod beth yw'r trysor,' meddai wrth Arthur.

Fore trannoeth, fe adawodd y llys yng nghwmni Myrddin a marchogaeth i'w lys ei hun yn Erging. Ar ôl aros y nos yno, aeth y ddau yn eu blaen nes cyrraedd crib mynydd. Ar un ochr i'r mynydd roedd y borfa'n las, a chwningod yn chwarae rhwng y grug a'r eithin. Ond yr ochr draw ymestynnai gwastadedd llwyd, llonydd, heb sôn am greadur byw.

'Dyna'r Tir Anial,' meddai Myrddin, a chan ddymuno'n dda i Lawnslot, fe ffarweliodd â'r marchog dewr.

Aeth Lawnslot yn ei flaen i lawr y mynydd. Dilynodd wely nant oedd wedi hen sychu. Rholiai cerrig mân dan garnau'i geffyl a threiglo i'r gwastadedd mewn cymylau o lwch. Wrth i Lawnslot farchogaeth drwy'r llwch, daeth castell i'r golwg. Roedd un hanner yn gyfan, a'r hanner arall yn adfail.

Brysiodd dau ddyn drwy'r drws oedd yn gyfan ac arwain y marchog i'r neuadd, lle gorweddai eu brenin ar wely aur. Roedd hanner corff y brenin yn iach, a'r hanner arall wedi'i barlysu. Ymgrymodd Lawnslot o'i flaen.

'Rwyt ti'n un o farchogion Arthur,' meddai'r brenin.

'Lawnslot yw fy enw,' atebodd y marchog.

'A Peles ydw i,' meddai'r brenin. 'Fi sy'n rheoli'r wlad anial hon. Ei henw yw Caerbennog, ac mae'n wlad o ysbrydion.'

'Ai ysbryd ddinistriodd hanner dy gastell?' gofynnodd Lawnslot. 'Os felly, mi wna i dy helpu i'w yrru i ffwrdd ac achub yr hyn sy ar ôl.'

Lledodd cysgod gwên dros wyneb cam Peles. 'All neb ddinistrio'r rhan hon o'r castell,' meddai. 'Mae 'na drysor oddi mewn sy'n ei chadw'n ddiogel.'

Cyn i Lawnslot gael cyfle i ofyn beth oedd y trysor, gwasgodd Peles ei fys ar

ei wefus. Disgynnodd distawrwydd rhyfedd dros y castell. Yna, â chlep fyddarol, agorodd drws yn y wal gefn. Drwyddo daeth tair gwraig mewn dillad gwynion, a gorymdeithio'n dawel drwy'r neuadd. Cariai'r gyntaf bicell, cariai'r ail ddysgl aur, ac yn llaw'r drydedd, dan orchudd o sidan, roedd cwpan aur. O'r cwpan hwnnw llifai ffrwd o olau gwyn, pur. Treiddiodd y golau i bob cwr o'r neuadd. Treiddiodd i galon Lawnslot, a phrofodd y marchog hapusrwydd na theimlodd ei debyg erioed o'r blaen.

'Enw'r cwpan yw'r Greal Sanctaidd,' sibrydodd Peles, ar ôl i'r orymdaith ddiflannu drwy'r drws mawr. 'Yn y cwpan mae holl ddaioni'r byd. Ychydig iawn gaiff y fraint o'i weld, a dim ond un dyn all gydio ynddo.'

Daeth dagrau i lygaid Lawnslot. Nid fe fyddai'r dyn hwnnw. Roedd wedi cynnig chwilio am y trysor, nid er ei fwyn ei hun, nac er mwyn ei frenin na phobl Caerbennog chwaith, ond er mwyn Gwenhwyfar. Dyna pam dwi ddim yn bur o galon, meddai wrtho'i hun. Dwi'n caru Gwenhwyfar yn fwy na neb yn y byd.

Y foment honno penderfynodd na allai fynd yn ôl i lys Arthur. Fe arhosai yng Nghaerbennog.

Tra oedd Arthur a Gwenhwyfar yn disgwyl yn ofidus am ddychweliad Lawnslot, daeth dyn ifanc at borth Camelot. Roedd ei wallt yn felyn, ei fochau'n goch a chwibanai mor llon nes i bob aderyn yn y coed chwibanu gydag e. Allai'r porthor ddim llai na gwenu, ac er mai dieithryn oedd y dyn ifanc, aeth ag e'n syth i'r Neuadd Fawr.

'Syr Galahad,' cyhoeddodd.

'Syr Galahad.' Allai Arthur ddim llai na gwenu chwaith. Edrychai Galahad mor serchog a diniwed. 'O ble wyt ti wedi dod?' gofynnodd.

'Dwi'n dod o abaty lle cefais fy magu gan leianod,' atebodd Galahad. 'Wn i ddim pwy yw fy rhieni, ond mi wn fy mod am wasanaethu'r Brenin Arthur.'

'Croeso i ti ymuno â ni,' meddai Arthur. 'Ond yn gynta . . .'

Cyn iddo gael cyfle i ddweud mwy, cyffrôdd holl Farchogion y Ford Gron. Ar ôl clywed geiriau croesawgar Arthur, roedd Galahad wedi disgyn i'r gadair agosaf. Y gadair honno oedd y Sedd Beryglus.

Clywodd Galahad y cyffro, ac edrychodd yn swil ar yr wynebau syn.

'Ydw i wedi gwneud rhywbeth o'i le?' gofynnodd.

'Nac wyt!' Cododd Arthur ar ei draed.

'Edrych ar yr enw ar y gadair.'

Edrychodd Galahad dros ei ysgwydd a gweld yr enw 'Sedd Beryglus' yn newid i 'Galahad'. Gwridodd wrth i Farchogion y Ford Gron weiddi a churo dwylo.

Galwodd Arthur Syr Bors a Syr Parsifal ato ar frys. 'Ewch i'r Tir Anial,' gorchmynnodd. 'Dwedwch wrth Lawnslot beth sy wedi digwydd, a gofynnwch iddo ddod yma cyn gynted â phosib.'

Cychwynnodd Bors a Parsifal ar eu ffordd yn syth ond, heb Myrddin i'w harwain, fe gymerodd y daith ddyddiau lawer. Pan gyrhaeddon nhw Gaerbennog a dweud eu stori, cytunodd Lawnslot ar unwaith i ufuddhau i'w frenin. Awr yn ddiweddarach roedd y tri ffrind wedi ffarwelio â'r Brenin Peles ac yn marchogaeth oddi yno. Wrth ddringo'r llethr llwyd, clywyd cri gwylanod, a phan edrychon nhw'n ôl, roedd Caerbennog a'r castell wedi diflannu. Yn eu lle ymestynnai traeth melyn tuag at ruban o fôr.

'Beth os na ddown ni o hyd i Gaerbennog byth eto?' meddai Parsifal.

'Rhaid i ni!' mynnodd Lawnslot.

Roedd y daith yn ôl yn haws a chyflymach o lawer. Fin nos fe gyrhaeddon nhw Gamelot. Cafodd Lawnslot groeso brwd a brysiodd pawb i'r Neuadd Fawr. Am y tro cyntaf ers blynyddoedd, byddai pob un o seddau'r Ford Gron yn llawn.

Disgleiriai wyneb y Brenin Arthur yng ngolau'r llu o ganhwyllau. Teimlai mor falch o'i ddynion dewr. Roedd pob un wedi brwydro mor galed dros degwch a daioni, a doedd neb wedi brwydro'n galetach na Lawnslot.

'Croeso'n ôl, ffrind!' meddai Arthur. 'Mae gennym lawer iawn o newyddion i ti, ond yn gynta, dwed wrthon ni am y trysor welaist ti yn y Tir Anial.'

Edrychodd Lawnslot ar yr wynebau eiddgar o gwmpas y bwrdd. Tynnodd anadl, ond methodd ddweud gair. Sut oedd dechrau disgrifio trysor Caerbennog? Wrth i'w lygaid ddisgyn ar fochau coch Syr Galahad, diflannodd y dyn ifanc o'i olwg. Roedd pob cannwyll yn y neuadd wedi diffodd. Am eiliadau hir symudodd neb. Siaradodd neb. Roedd y tywyllwch wedi cau am bob un a'i ynysu'n llwyr.

Yna, wrth i'r marchogion ddechrau anesmwytho, ymddangosodd cylch o olau uwch eu pennau, a suddodd cwpan aur, dan orchudd o sidan, tuag at y Ford Gron. Drwy'r sidan treiddiai golau pur, disglair. Llifodd i galonnau pawb, a'u llenwi â hyfrydwch. Daeth dagrau o gywilydd i lygaid Medrawd, a dihangodd Morgana o'r neuadd gan guddio'i hwyneb.

'Dyma'r Greal Sanctaidd,' sibrydodd Lawnslot. 'Cwpan daioni perffaith a chariad perffaith.'

Yn ara bach, cododd y golau tua'r nenfwd a diflannu. Ailgyneuodd y canhwyllau. Roedd wyneb pob marchog yn disgleirio, a'u gwefusau'n crynu.

'Mi rown i unrhyw beth am weld y cwpan heb orchudd,' ochneidiodd Syr Gwalchmai.

'A ninnau!' meddai'r marchogion eraill a'u llygaid ar dân. 'Byddai cymaint mwy o ddaioni a chariad yn llifo i'n calonnau pe baen ni'n ei weld heb orchudd. Fe awn ni i chwilio drwy'r byd amdano. Dyna fydd ein tasg o hyn allan – chwilio am y Greal Sanctaidd!'

Yng nghanol y bwrlwm, eisteddai Lawnslot yn dawel. Gwelodd Arthur y tristwch ar wyneb ei ffrind gorau, a theimlodd yntau'n drist. Roedd golau'r Greal wedi dangos nad oedd Camelot yn berffaith. Roedd pawb yno'n gwneud eu gorau, ond o hyn allan fyddai hynny ddim yn ddigon. Wnâi'r marchogion ddim gorffwys nes dod o hyd i'r Greal.

Edrychodd y brenin ar bob un o'i ddynion, ac ar y seddau llawn. Fydd hi byth fel hyn eto, ochneidiodd. Fydd hi byth fel hyn.

Cyn hir roedd y Neuadd Fawr yn dawel, heblaw am sibrwd gweision, wrth i'r marchogion deithio i bellteroedd byd i chwilio am y Greal Sanctaidd. Ddôi sawl un fyth yn ôl i Gamelot.

Roedd hyd yn oed Medrawd yn barod i fentro'i fywyd i chwilio am y cwpan aur, ond fe wylltiodd ei fam.

'Rwyt ti wedi gweld y Greal unwaith,' meddai Morgana'n chwyrn. 'Mae hynny'n eitha digon i ti. Clywais i Myrddin yn dweud mai un dyn yn unig all gydio ynddo. Nid ti fydd hwnnw, felly paid gwastraffu dy amser. Dwyt ti ddim yn ddigon da i afael yn y Greal. Does neb yn ddigon da.'

'Heblaw Galahad,' meddai Medrawd.

'Wel, gad iddo,' meddai Morgana gan godi'i hysgwyddau. 'Fan hyn mae dy le di. Bydd angen cwmni ar Arthur.' Chwarddodd yn slei, gwasgu braich Medrawd a'i adael.

Gwyliodd Medrawd hi'n croesi'r iard a rhyfeddu at ei chyfrwystra. Rywsut, gallai ei fam wau ei ffordd drwy'r ceffylau a'r marchogion heb i neb sylwi arni, ond roedd hithau'n sylwi ar bopeth.

Pan ddaeth marchog o'r enw Bagdemagus at borth y castell a gofyn am Syr Galahad, fe glywodd Morgana bob gair.

'Dyma darian Marchog y Greal,' meddai Bagdemagus, gan estyn tarian â chroes goch i'r dyn ifanc. 'Os wyt ti'n ddigon dewr, fe aiff hon â ti at y Greal.'

Diolchodd Galahad i Bagdemagus a rhoi'r darian ar ei fraich. Pan fflachiodd y groes yng ngolau'r machlud, hisiodd Morgana a chilio i'r cysgodion. Dim ots am Galahad. Fe chwiliai am rywun arall i'w ddifa. Lapiodd Morgana'i chlogyn yn dynnach amdani a gwylio Syr Parsifal yn marchogaeth drwy'r porth.

Teimlai Parsifal yn llawn hyder. Roedd wedi teithio i Gaerbennog o'r blaen, i chwilio am Lawnslot. Felly, os dilynai'r un llwybr, roedd yn siŵr o gyrraedd castell y Greal. Teithiodd i'r gogledd a dringo dros gribau mynyddoedd, ond er chwilio a chwilio am fisoedd lawer, welodd e'r un cip o'r gwastadedd llwyd.

Yn hwyr un prynhawn, pan oedd yn marchogaeth ar hyd cwm cul, rhuthrodd ugain milwr carpiog o'r coed ac ymosod arno â'u cleddyfau. Trywanwyd ei geffyl yn ei wddw a disgynnodd yr anifail yn farw. Gyda bloedd, rhuthrodd Parsifal at y gelyn.

Ymladdodd yn ffyrnig. Ymladdodd tan fachlud haul. Erbyn hynny, roedd hanner y milwyr wedi marw a'r lleill wedi dianc yn ôl i'r coed.

Heb geffyl, fedrai Parsifal ddim mentro drwy'r tywyllwch, felly penderfynodd gysgu'r nos yn y cwm. Roedd yn chwilio am loches yn y llwyni pan glywodd sŵn traed.

'Pwy sy 'na?' gwaeddodd, a chodi'i gleddyf.

'Rhywun sy am gynnig help i ti, Syr Parsifal,' atebodd llais mwyn.

Roedd merch ifanc yn dod tuag ato, ei hwyneb yn wyn fel yr eira a chudynnau o wallt du yn disgleirio ar ei thalcen.

'Sut wyt ti'n gwybod pwy ydw i?' gofynnodd Parsifal yn swta.

'Dwi'n gwybod enw pob marchog dewr,' atebodd y ferch. 'Mi wn hefyd fod dy geffyl yn farw, felly dwi wedi dod â cheffyl arall i ti. Aiff hwnnw â ni'n dau i rywle diogel. Dere.' Estynnodd ei llaw a gwenu mor annwyl nes i Parsifal gytuno i fynd gyda hi i'r cae yr ochr draw i'r cwm.

Yn y cae symudai cysgod aflonydd. Stelciodd ceffyl mawr du tuag atyn nhw, ei lygaid yn fflamgoch a'i ffroenau ar led. Dinoethodd yr anifail ei ddannedd yn wyneb Parsifal, a tharo'r llawr â'i garnau. Dododd y ferch ei llaw ar ei wddw i'w dawelu. Â'i llaw arall estynnodd yr awenau i'r marchog.

'Gad i fi dy godi i'r cyfrwy,' meddai Parsifal yn gwrtais.

'Na,' atebodd y ferch. 'Eistedd di yn gynta, ac yna fe eistedda i y tu ôl i ti.'

Cydiodd Parsifal yn yr awenau a dringo i'r cyfrwy. Ar unwaith gollyngodd y ferch ei gafael ar wddw'r anifail, a gwibiodd y ceffyl yn ei flaen mor gyflym â saeth ac mor ffyrnig â tharw. Clywodd Parsifal sgrech o chwerthin y tu ôl iddo. Tynnodd ar yr awenau, ond wnaeth hynny ddim gwahaniaeth. Ymbalfalodd am ganghennau'r coed, ond allai e ddim dal gafael. Gwibiai'r wlad heibio yn un ruban du, a'r ceffyl yn dal i garlamu'n wyllt.

Yna, wrth i belydryn o olau leuad dreiddio drwy'r cymylau, gwelodd Parsifal afon wyllt yn croesi ei lwybr. Codai creigiau miniog fel dannedd o'r lli, gan boeri ewyn gwyn.

Doedd dim golwg o bont yn unman.

'Mae ar ben arna i!' llefodd Parsifal. 'Mae'r ceffyl yn mynd i 'nhaflu i'r afon a bydda i'n boddi!'

Am ei fod ar fin marw, meddyliodd am ei ffrindiau yng Nghamelot. Cofiodd am y tro olaf y bu'n eistedd wrth y Ford Gron a llanwyd ei galon â golau pur.

'Y Greal Sanctaidd,' sibrydodd.

Ar unwaith gweryrodd y ceffyl yn uchel a stopio'n stond. Taflodd Parsifal i'r llawr a neidio i ganol y lli. Wrth i'w garnau gyffwrdd â'r dŵr, cododd pluen o fwg a diflannodd y ceffyl. Gwyliodd Parsifal mewn arswyd a diolch â'i holl galon i'r Greal Sanctaidd am ei achub rhag creadur mor erchyll.

Y noson honno cysgodd Parsifal yn ddigon pell o'r afon. Ar doriad gwawr, deffrowyd e gan sŵn carnau. Ond doedd arno ddim ofn y ceffyl hwn. Galahad oedd yn marchogaeth tuag ato. Rhoddodd Galahad ddiod o ddŵr iddo, a cherddodd y ddau gyda'i gilydd tuag at y môr.

Roedd Syr Bors wedi dilyn yr un llwybr â Parsifal, gan feddwl yn siŵr y byddai hwnnw'n ei arwain i Gaerbennog. Ond er dringo mynyddoedd a chrwydro dyffrynnoedd, methodd ddod o hyd i gastell y Greal.

Un noson, wrth i'r haul fachlud, roedd yn marchogaeth heibio i goedwig pan glywodd lais yn galw am help.

'Llais Lionel, fy mrawd, yw hwnna!' meddai Bors, ac roedd ar fin rhuthro i achub ei frawd pan garlamodd marchog tuag ato, a gwraig yn rhedeg o'i flaen mewn dychryn llwyr. Plygodd y marchog o'r cyfrwy a llusgo'r wraig druan ar gefn ei geffyl. Ar unwaith, anelodd Bors ei bicell ac ymosod. Pan welodd y marchog creulon hyn, gollyngodd y wraig i'r llawr a pharatoi i'w amddiffyn ei hun. Ond chafodd e ddim cyfle – trawodd Bors e â'r bicell a'i ladd yn gelain.

Rhedodd Bors at y wraig a'i helpu i godi ar ei thraed. Er ei bod yn crynu gan ofn, doedd hi ddim wedi cael niwed, a diolchodd i Bors am ei hachub rhag y dihiryn.

'Dos adre cyn gynted ag y galli di,' meddai Bors yn daer. 'Dwi am fynd i achub fy mrawd.'

'Ond mae'r castell lle dwi'n byw gryn bellter i ffwrdd,' llefodd y wraig, gan afael yn dynn yn ei law, 'ac mae'r hewl yn dywyll ac yn llawn peryglon. Dos â fi adre'n gynta, farchog dewr.'

Er bod Bors yn gofidio am ei frawd, fedrai e ddim gwrthod. Roedd yn rhaid i farchog helpu gwraig mewn perygl. Felly cododd hi ar gefn ei geffyl, ac i ffwrdd â'r ddau wrth i'r nos gau amdanyn nhw.

Erbyn iddyn nhw gyrraedd y castell, roedd hi'n hollol dywyll. Doedd dim lleuad yn yr awyr na'r un seren chwaith, ond disgleiriai golau clyd, cynnes drwy ddrysau'r castell. Aeth y wraig â Bors i mewn.

'Alla i ddim aros,' meddai Bors. 'Rhaid i fi fynd yn ôl i'r goedwig.'

'Ond fe golli di dy ffordd yn y tywyllwch,' atebodd y wraig. 'Aros tan y bore.'

Curodd ei dwylo a brysiodd deg morwyn at Bors. Cynigiodd y morynion fwyd blasus, y gwin gorau, a gwely esmwyth i'r marchog, ond gwrthododd Bors y cyfan. Sut gallai e fwyta, neu gysgu mewn gwely cyfforddus, pan oedd ei frawd mewn perygl? Cymerodd ddiferyn bach o ddŵr, a gorwedd ar y llawr carreg.

Yng nghanol y nos deffrowyd e gan lais swynol. Safai'r wraig uwch ei ben a'r lleuad yn disgleirio ar ei gwallt du.

'Dwi'n dy garu di, Bors,' canai'n drist. 'Alla i ddim byw hebddot ti. Bydd yn garedig wrtha i.'

'Bydd yn garedig. Bydd yn garedig.' Daeth y deg morwyn i sefyll yn ei hymyl a chanu'n ymbilgar. 'Helpa hi, cyn i'w chalon dorri.'

Crynodd Bors. Roedd e'n un o Farchogion y Ford Gron, a doedd marchog ddim i fod i dorri calon merch. Be wna i? meddyliodd Bors. Sut byddai Arthur yn ymateb?

Caeodd ei lygaid a chofio'r noson olaf honno yng Nghamelot pan ddisgynnodd y Greal Sanctaidd tuag at y Ford Gron.

Wrth i oleuni'r Greal lenwi ei galon, clywodd sgrech ddychrynllyd. Pan agorodd ei lygaid, roedd y wraig yn gwibio tuag ato. Roedd ei hwyneb cyn wynned â'r eira, ei gwallt mor bigog â drain duon, ei cheg yn gam ac yn chwythu mwg. Clywodd Bors adenydd yn ysgwyd a sgrechiadau erchyll, yna aeth pobman yn ddu. Chwyrlïodd gwynt cryf o'i gwmpas a phan gododd yr haul, roedd yn sefyll mewn cae gwag, a'r castell a phawb oedd ynddo wedi diflannu.

Rhedodd at ei geffyl oedd yn pori'n dawel gerllaw. Dringodd i'r cyfrwy a charlamu fel y gwynt tuag at y man lle clywsai ei frawd yn gweiddi mewn poen. Wrth nesáu at y coed, gwelodd geffyl gwyn yn dod tuag ato. Ar ei gefn roedd ei frawd, Lionel.

'Frawd annwyl!' gwaeddodd Bors. 'Clywais i ti'n galw neithiwr. Wyt ti'n iawn?'

'Ydw, ond dim diolch i ti,' atebodd Lionel yn swta. 'Ymosododd dau ddihiryn arna i.'

'Fe ges i fy nhwyllo gan wrach ag wyneb gwyn,' eglurodd Bors.

'Diolch byth dy fod wedi dianc, felly!' meddai Lionel, gan daflu'i fraich am ysgwydd ei frawd.

Ar ôl dymuno'n dda i'w gilydd, aeth Lionel yn ei flaen, a marchogodd Bors tuag at y môr.

Daeth at draeth tywodlyd, lle roedd Parsifal a Galahad yn disgwyl amdano. Roedd llong fawr yn nesáu at y lan a'i hwyliau'n llawn. Aeth y tri marchog ar fwrdd y llong ac, er nad oedd awel o wynt, llithrodd y llong dros y lli nes cyrraedd Caerbennog. Pan welodd Galahad y castell, fe wyddai ar unwaith ei fod yn dod adre.

Arweiniwyd y marchogion i'r Neuadd Fawr. Yno eisteddai Lawnslot a Gwalchmai bob ochr i'r Brenin Peles ar ei wely aur.

Pan ymgrymodd Galahad o flaen y brenin, meddai Lawnslot, 'Dyma Farchog y Greal.'

Syllodd y brenin am hir ar Galahad. 'Ie,' meddai'n ddwys. 'Dyma Farchog y Greal.'

Ar unwaith, gyda chlep fyddarol, agorodd drws y neuadd, a thrwyddo daeth tair gwraig – y wraig â'r bicell, y wraig â'r ddysgl, ac yn olaf y wraig â'r Greal Sanctaidd yn ei llaw. Pan nesaodd y tair at Galahad, tynnodd y marchog ei gleddyf, ei ddal ar ffurf croes a cherdded o'u blaenau.

Cododd Parsifal a Bors y brenin ar ei wely aur, a'u dilyn. Ar ôl mynd drwy'r drws pellaf, arweiniodd Galahad yr orymdaith i Gapel y Greal. Gwyddai yn ei galon lle roedd y capel, heb i neb ddweud gair. Yn y capel penliniodd o flaen y wraig oedd yn dal y Greal Sanctaidd. Tynnodd hithau'r gorchudd sidan a chynnig y cwpan iddo.

Yr eiliad y cydiodd Galahad yn y Greal, tyfodd glaswellt ar dir llwyd Caerbennog. Canodd adar yn y coed, a byrlymodd afonydd dros y ddaear sych. Roedd y castell yn gyfan unwaith eto a Peles yn holliach.

Disgynnodd ffrwd o olau gwyn, pur ar Galahad ei hun. Yn ara bach, cododd y golau i'r awyr, gan fynd â'r marchog gydag e. Welwyd mo Galahad na'r Greal ar y ddaear byth wedyn.

Twyll!

Arhosodd Lawnslot, Bors, Parsifal a Gwalchmai yng Nghaerbennog am fisoedd lawer. Ar ôl yr ymdrech hir i chwilio am y Greal, roedd hi'n braf hamddena mewn gwlad mor wyrdd ac mor dawel.

Un diwrnod, pan oedd y pedwar marchog yn eistedd o gwmpas ffynnon, dechreuodd Bors a Parsifal ddweud hanes y wrach â'r wyneb gwyn.

'Dwi wedi cwrdd â hi hefyd!' ebychodd Lawnslot. 'Hi oedd gwrach y Plasty Llwm.'

Y noson honno, breuddwydiodd Lawnslot am y wraig â'i hwyneb fel yr eira. Yn ei freuddwyd roedd hi'n bygwth y Brenin Arthur yng Nghamelot. Deffrôdd Lawnslot a'i galon yn curo'n wyllt.

'Rhaid i ni fynd i Gamelot ar unwaith,' meddai wrth ei ffrindiau. 'Mae Arthur mewn perygl.'

Ffarweliodd y pedwar â'r Brenin Peles a marchogaeth oddi yno.

Marchogodd Lawnslot ei hun fel y gwynt. Cyn hir roedd wedi gadael ei ffrindiau ymhell ar ei ôl. Wrth ddod i olwg Camelot, teimlai'n sâl gan ofn. Er bod castell Arthur yn sefyll mor gadarn ag erioed a baneri'r ddraig yn cyhwfan ar ei dyrau, sbardunodd ei geffyl, carlamu dros y bont, a neidio o'r cyfrwy a'r chwys yn byrlymu dros ei wyneb.

'Ble mae'r brenin?' galwodd.

Roedd iard Camelot yn llawn o ddieithriaid. Cododd un neu ddau eu hysgwyddau a syllu arno'n hy.

'Ble mae'r brenin?' galwodd eto.

'Ble mae'r brenin?' meddai llais bach main, gan wneud hwyl am ei ben. 'Rwyt ti wedi bod i ffwrdd am flynyddoedd. Alli di ddim disgwyl i'r brenin fod wrth y gât yn aros amdanat ti.' Swagrodd Medrawd o ganol y dorf, a gwneud sioe fawr o ymgrymu o'i flaen. 'At dy wasanaeth, barchus Syr Lawnslot!' meddai'n smala. 'Croeso'n ôl.' Chwarddodd y dynion o'i gwmpas.

Gwibiodd llaw Lawnslot tuag at garn ei gleddyf. Rhag eu cywilydd yn ymddwyn mor haerllug yng Nghamelot!

Ond cyn iddo dynnu'r cleddyf o'r wain, gwelodd ei frenhines yn brysio o'r Neuadd Fawr. Gwelodd hi'n codi'i phen, yn sylwi arno ac yn sefyll yn stond. Ar unwaith, camodd Medrawd o flaen y marchog a'i herio â gwên faleisus.

'Ble mae'r Greal Sanctaidd 'te, Lawnslot?' gofynnodd. 'Ddoist ti ddim ag e'n ôl? Doeddet ti ddim yn ddigon da, felly? Dy galon ddim yn ddigon pur?'

Chlywodd Lawnslot 'run gair. Dros ysgwydd Medrawd gwelai wên yn serennu ar wyneb ei frenhines.

'Medrawd!' galwodd Gwenhwyfar.

Chymerodd Medrawd 'run sylw, dim ond dal ati i herio Lawnslot.

'Medrawd,' meddai Lawnslot. 'Mae dy frenhines yn dy alw di.'

'Fy mrenhines?' Edrychodd Medrawd dros ei ysgwydd. 'Be sy?' galwodd, heb symud cam.

Daeth y frenhines yn nes. Teimlodd Lawnslot wayw o boen wrth weld y cysgodion ar ei hwyneb, y crychni ar ei thalcen a'r gwallt llwyd oedd yn glynu wrth y gleiniau ar ei ffrog werdd. I Lawnslot, roedd hi mor brydferth ag erioed, ond fe wyddai fod rhywbeth mawr o'i le.

'Medrawd,' meddai Gwenhwyfar yn gadarn. 'Mae 'na farchogion sy newydd gyrraedd yn ôl o'u teithiau. Gofynnodd y brenin i ti eu cyflwyno i'r marchogion newydd. Fe hoffwn i ti wneud hynny nawr.'

'Â phleser, f'arglwyddes,' meddai Medrawd, gan amneidio ar Lawnslot.

'Dwi am gael gair bach â Syr Lawnslot yn gynta,' meddai'r frenhines. 'Cer di i groesawu'r lleill.'

Ymgrymodd Medrawd yn wawdlyd, a chan wincio ar ei ffrindiau, cerddodd i ffwrdd ling-di-long.

Trodd Gwenhwyfar ei hwyneb blinedig at Lawnslot. 'Rwyt ti'n gweld sut mae'n byd wedi newid,' ochneidiodd.

'Ble mae Arthur?' gofynnodd Lawnslot.

'Mae Arthur wedi mynd i Gaerllion.' Er bod y tywydd yn gynnes, crynodd y frenhines a rhwbio'i breichiau. 'Mae'r dynion yno'n anniddig. Tra oeddet ti a'r marchogion eraill yn chwilio am y Greal, fe ofynnwyd i'r crochan ddewis nifer o ddynion yn eich lle. Wnaeth e ddim dewis yn ddoeth bob amser.'

'Naddo,' mwmialodd Lawnslot, a llygadu dau ddyn ifanc oedd yn swagro heibio, gan frolio'n uchel.

'Ydy hi mor amlwg â hynny?' gofynnodd Gwenhwyfar yn drist. 'Mae rhywbeth wedi sleifio i ganol ein teyrnas ac yn ei difa fel mwydyn mewn afal. Wn i ddim be sy o'i le, Lawnslot.'

'Petawn i'n gwybod bod angen help, byddwn i wedi dod yn ôl cyn hyn,' meddai Lawnslot yn daer.

'Mi wn i,' meddai'r frenhines, a gwasgu ei law. 'Ond rwyt ti yma nawr. Dyna sy'n bwysig. Bydd Arthur yn falch o dy weld. Bydd pawb yn falch. Fe gawn ni sgwrs eto amser cinio, Lawnslot annwyl.' Gwenodd yn dirion, gan edrych fel merch ifanc unwaith eto.

Cusanodd Lawnslot ei llaw, a'i wefusau'n crynu. Byddai'n fodlon aberthu'i fywyd i sicrhau hapusrwydd ei frenhines. Yn fwy na bodlon! Gwyliodd hi'n gwau ei ffordd drwy'r iard. Crwydrai dynion ifanc di-hid ar draws ei llwybr, gan ei gorfodi i aros neu daro'n eu herbyn. Caeodd Lawnslot ei ddwrn am garn ei gleddyf. Roedd yn ysu am

ddysgu gwers i'r cnafon digywilydd. Ond sut gallai e ymladd yn erbyn marchogion Camelot?

Erbyn hyn roedd Gwenhwyfar bron â chyrraedd Tŵr y De. Yno roedd morwyn mewn clogyn du yn disgwyl amdani. Wrth i'r frenhines nesáu, trodd y forwyn at Lawnslot. Â gwên wawdlyd, tynnodd ei chwfl a datgelu wyneb gwyn fel yr eira.

'F'arglwyddes!' bloeddiodd Lawnslot i rybuddio Gwenhwyfar. Rhedodd ar draws yr iard a dal y frenhines yn ei freichiau. 'Gwrach yw honna, nid morwyn!' gwaeddodd.

'Pwy?' llefodd Gwenhwyfar.

Roedd y forwyn wedi diflannu.

'Ewch i chwilio am y wraig â'r wyneb gwyn!' gwaeddodd Lawnslot ar griw o farchogion oedd ar eu ffordd i'r stablau ac yn gwenu'n ddwl arno. 'Y wraig oedd yn sefyll yn ymyl y tŵr.'

Chwarddodd y marchogion am ben Lawnslot. 'Syr Tŵr yw dy enw di, felly,' gwawdiodd un. 'Yr unig wraig wela i yw'r un sy'n sefyll yn agos iawn atat ti.'

Griddfanodd Gwenhwyfar a thynnu'i hun o'i freichiau.

'F'arglwyddes,' meddai Lawnslot mewn llais crynedig. 'Maddau i mi. Ond mi oedd yna wraig wrth y tŵr.'

'Druan â ti, Lawnslot!' sibrydodd y frenhines, a dianc.

'Ie, druan â ti!' meddai Medrawd, a oedd wedi clywed y twrw ac wedi brysio o'r neuadd. Gwenodd yn fodlon wrth i Lawnslot ruthro mewn cywilydd o'r iard. A'r wên yn dal ar ei wyneb, aeth Medrawd i chwilio am ei fam.

Eisteddai Morgana'n ddiniwed yn ei stafell, yn brodio tapestri. Ciledrychodd y ddau ar ei gilydd.

'Clyfar iawn,' meddai Medrawd.

'Diolch,' atebodd Morgana, a gollwng y brodwaith dan chwerthin. 'I feddwl 'mod i wedi trafferthu dilyn marchogion Arthur i ben draw'r byd! Mae'n haws o lawer eu difa yma yng Nghamelot.' Mwythodd wyneb ei mab. 'Fe fyddi di'n frenin cyn bo hir.'

'Y Brenin Medrawd!' Sythodd Medrawd ei ysgwyddau.

'Y Brenin Medrawd!' Plygodd Morgana o'i flaen. 'Heno rhaid i ti fynd i Gaerllion,' meddai, 'a dweud wrth Arthur am ddod yn ôl ar unwaith. Dwed hyn wrtho.' Sibrydodd yn ei glust.

'Syniad da!' Disgleiriodd llygaid Medrawd, ac aeth i ffwrdd ar frys.

Roedd Lawnslot yn methu cysgu. Yn oriau mân y bore, pan oedd hi'n dal yn dywyll, clywodd rywun yn curo'n ysgafn ar ei ddrws.

Neidiodd o'r gwely'n syth. Pan agorodd y drws, teimlodd law yn ei wthio'n ôl i'r stafell, a llais Morgana, chwaer y brenin, yn sibrwd, 'Shhhhh!'

'Be sy'n bod?' gofynnodd. 'Ydy'r brenin yn ôl?'

'Na, dim eto.' Roedd llais Morgana'n crynu. 'Dwi'n dod ar ran y frenhines.'

'Y frenhines?'

'Ddoe, fe welaist ti wrach, yn do?'

'Wel . . .' Petrusodd Lawnslot.

'Gwrach ag wyneb gwyn fel yr eira.'

'Do! Do!'

Cydiodd Morgana yn ei fraich a'i dynnu ati. 'Fe welodd y frenhines hi hefyd. Heno. Yng nghanol nos. Agorodd ei llygaid a gweld y wrach yn sefyll wrth ei gwely.'

'Ac rwyt ti wedi'i gadael ar ei phen ei hun?' Dychrynodd Lawnslot a cheisio tynnu'n rhydd. 'Does dim amser i'w golli. Rhaid i fi fynd ati.'

'Fe gei di fynd ati!' sibrydodd Morgana. 'Mae'r frenhines ar ei ffordd i'r stabl. Mae hi am i ti fynd â hi i'th gastell a'i gwarchod yno. Wyt ti'n fodlon?'

'Wrth gwrs!' Trodd Lawnslot ac ymbalfalu am ei arfau yn y tywyllwch. Baglodd yn erbyn Morgana.

'Gad i fi dy helpu!' Symudai Morgana mor dawel â chath. Teimlodd Lawnslot ei dwylo'n cyffwrdd â'i wallt. Tynnodd Morgana diwnig dros ei ben, a rhoi'r wain am ei ganol. Gwasgodd y cleddyf i'w law. 'Fe wna i gario dy darian,' meddai. 'Nawr dilyn fi. Paid â dweud gair. Dim gair. Paid â meiddio siarad nes wyt ti filltiroedd lawer i ffwrdd. Mae gan waliau glustiau, ac mae gan wrachod glustiau main dros ben. Dere.'

Clywodd Lawnslot ddrws yn gwichian, a chlogyn yn siffrwd. Cydiodd Morgana yn ei law a'i dywys i lawr y grisiau ac ar draws y neuadd. Aroglodd Lawnslot bren y Ford

Gron a chwa o gig carw a medd. Cyfarthodd ci yn y gegin, ond pan hisiodd Morgana ei enw, griddfanodd a thawelu.

Roedd y wawr ar dorri wrth i'r ddau groesi'r iard. Pan gyrhaeddon nhw'r stablau, clywodd Lawnslot anadl sydyn a theimlo llaw Gwenhwyfar yn estyn awenau ei geffyl. Roedd Morgana wedi diflannu. Cododd Lawnslot y frenhines i'r cyfrwy, dringodd yntau ar gefn y ceffyl ac anelu am y porth.

'Pwy sy 'na?' galwodd y gwyliwr yn gysglyd, gan godi ei lamp. Ymgrymodd ar unwaith wrth weld y ddau, a symud o'u ffordd.

Marchogodd Lawnslot yn ofalus ar draws y bont, ond cyn gynted ag yr oedden nhw'n ddigon pell o Gamelot, sbardunodd ei geffyl. Cleciai'r carnau chwim dros y caeau cysglyd. Codai brain i'r awyr gan grawcian mewn cyffro. Udai llwynogod yn y coed a chŵn ar y ffermydd. Ond ddwedodd Gwenhwyfar a Lawnslot 'run gair. Pwysai'r frenhines ei phen yn erbyn ysgwydd y marchog, a'i gwallt yn glynu wrth flew ei farf.

Pan ochneidiodd Gwenhwyfar o'r diwedd, sibrydodd Lawnslot, 'F'arglwyddes, hoffet ti orffwys am ychydig?'

Trodd y frenhines ar amrantiad a syllu arno â dychryn lond ei llygaid.

'Lawnslot!' llefodd. 'Ti sy 'na! Ro'n i'n meddwl mai Arthur oeddet ti!'

Pan oedd pawb yn y castell yn dal i gysgu, carlamodd Arthur at borth Camelot, gyda Medrawd wrth ei ochr a'i ddynion yn ei ddilyn.

'F'arglwydd!' Ymgrymodd y gwyliwr unwaith eto.

'Ble mae Gwenhwyfar?' galwodd Arthur yn gras. 'Wyt ti wedi'i gweld?'

'Wel, ydw.' Edrychodd y gwyliwr arno'n syn. 'Fe welais i hi bore 'ma, f'arglwydd, pan aeth y ddau ohonoch chi o'r castell.'

'Pryd oedd hyn?'

'Pan oedd y wawr ar dorri.'

'Frawd annwyl!' Brysiodd Morgana tuag at y brenin. Roedd ei bochau'n wridog yng ngolau'r haul. Gwisgai gap nos ar ei phen a disgynnai'i gwallt yn gudynnau tlws dros ei thalcen a'i chlustiau. 'Dyw'r frenhines ddim yn ei stafell. Mae ceffyl Lawnslot wedi diflannu hefyd.'

'Felly roedd Medrawd yn dweud y gwir!' llefodd Arthur. 'Mae'r ddau dwi'n eu caru fwya yn y byd wedi fy nhwyllo a'm bradychu.'

'Maen nhw wedi mynd i gastell Lawnslot,' meddai Medrawd. 'Rhaid i ni fynd ar eu holau. Fe alwa i'r marchogion.' Cydiodd yng nghorn y gwyliwr a'i chwythu.

Cyfarthodd cŵn, gweryrodd ceffylau, a disgleiriodd arfwisgoedd yng ngolau'r haul wrth i'r marchogion ymgynnull ar iard Camelot. Yn eu plith roedd Bors a Parsifal.

'Be sy'n bod?' gofynnodd y ddau.

'Mae Lawnslot wedi bradychu'r brenin!' gwaeddodd Medrawd. 'Mae wedi cipio Gwenhwyfar.'

'Na!' protestiodd Bors.

'Rhaid ei ddal a'i ladd,' bloeddiodd Medrawd.

'Ei ddal a'i ladd!' gwaeddodd lleisiau croch.

Edrychodd Bors a Parsifal ar ei gilydd mewn braw.

'Ond roedd Lawnslot mor ffyddlon i'w frenin,' mwmialodd Parsifal.

'Falle 'i fod e'n ffyddlon o hyd,' meddai Bors. 'Rhaid i ni fynd ar ei ôl a rhoi cyfle iddo egluro.'

Tra oedd pawb arall yn brysur yn paratoi, aeth y ddau i nôl eu ceffylau a'u harwain drwy'r porth. Ar ôl mynd o olwg Camelot, aeth y marchogion ar ras tuag at gastell Lawnslot.

Ganol y bore, clywyd rhuthr carnau. Roedd ceffyl gwinau'n carlamu tuag atyn nhw a'i farchog yn gorwedd yn isel yn y cyfrwy. Fe fyddai wedi mynd heibio heb godi'i ben oni bai i'r ddau weiddi 'Lawnslot!' a sefyll o'i flaen.

Tynnodd Lawnslot ar yr awenau a rhusiodd ei geffyl. Diferai ffrydiau o chwys melyn o wallt y marchog. 'Symudwch!' gwaeddodd yn groch. 'Mae Arthur mewn perygl. Rhaid i fi ei rybuddio.'

'Mae Arthur ar ei ffordd!' meddai Bors, a chydio yn ffrwyn y ceffyl gwinau. 'Mae e am dy ladd. Dos yn ôl, Lawnslot.'

'Na!' Plyciodd Lawnslot yr awenau a cheisio dianc. 'Mae chwaer y brenin yn cynllwynio yn ei erbyn. Hi ofynnodd i fi fynd â Gwenhwyfar i le diogel. Mi dwyllodd hi Gwenhwyfar hefyd, drwy wneud i fi edrych fel Arthur. Lliwiodd fy ngwallt yn felyn a rhoi tiwnig Arthur amdana i. Rhaid i fi rybuddio'r brenin.'

'Na!' meddai Bors. 'Mae Medrawd yn marchogaeth gydag Arthur. Cyn i ti ddweud gair, bydd un o'r ddau wedi dy ladd.'

'Dwi'n fodlon mentro fy mywyd!' llefodd Lawnslot.

'Ac os byddi di farw, pwy fydd yn gwarchod Gwenhwyfar?'

'Gwenhwyfar?' Tynnodd Lawnslot anadl sydyn a syllu ar Bors a'i lygaid yn llawn poen.

'Dere,' meddai Bors yn dyner. 'Fe ddown ni gyda ti i'th gastell, a gwneud ein gorau i rybuddio Arthur rhag ei chwaer.'

Safai Gwenhwyfar yn grynedig ar iard y castell a Bors yn ei gwarchod. Roedd ei hanadl yn dynn a'i chalon yn curo'n wyllt. Uwch ei phen, yng nghysgod un o'r tyrau, safai Lawnslot, a thu hwnt i'r muriau safai Arthur, ei gŵr, a'i fyddin. Roedd y fyddin wedi carlamu dros y caeau yn llawn trwst a chyffro, ond ers rhai munudau roedd pobman yn dawel.

Drwy'r tawelwch ffrwydrodd llais Arthur.

'Dere i lawr, y llwfrgi!' rhuodd. 'Rwyt ti wedi dwyn fy ngwraig, nawr dere i ymladd amdani.'

Camodd Lawnslot o'r tŵr a sefyll ar y wal uchel.

'Mae dy wraig yn ddiogel, ac yn ffyddlon i ti,' atebodd a'i lais fel cloch. 'Wnes i mo'i

dwyn, a dwi ddim yn elyn i ti. Mae dy elyn . . .'

Sgrechiodd Gwenhwyfar. Roedd cawod o saethau'n gwibio dros y muriau. Neidiodd Lawnslot i ddiogelwch y tŵr, a thynnodd Bors ei frenhines i gysgod un o'r drysau mewnol.

'Does dim amser i siarad!' gwaeddodd ar Lawnslot, gan dynnu'i gleddyf. 'Mae gan Arthur fyddin o fradwyr. Rhaid i ni ymladd yn eu herbyn.'

Gollyngwyd y bont godi a rhuthrodd Lawnslot a'i ddynion drwy'r porth. Trawodd cleddyf yn erbyn cleddyf wrth i ffrind ymladd yn erbyn ffrind. Ymladdodd Arthur fel llew. Ymladdodd i amddiffyn enw da ei wraig, Gwenhwyfar. Dawnsiai Caledfwlch yn ei law. Fedrai neb ei wrthsefyll. Ond wrth iddi ddechrau nosi, a'r frwydr yn dal yn chwyrn, sleifiodd Medrawd at ei frenin, a heb i neb ei weld, gwthiodd ei bicell i'w gefn a'i daflu i'r llawr.

'Mae Arthur wedi disgyn!' gwaeddodd Bors. 'Gydag un brathiad o 'nghleddyf fe ddo' i â'r frwydr i ben.'

Cododd ei gleddyf i ladd y brenin, ond neidiodd Lawnslot ato a chydio yn ei fraich. 'Arthur fydd fy mrenin am byth!' llefodd. 'Chei di mo'i ladd!'

Penliniodd Lawnslot yn ymyl ei feistr a'i helpu i godi ar ei draed.

'Rho'r gorau i ymladd, f'arglwydd, dwi'n erfyn arnat ti,' meddai. 'Fu'r frenhines erioed yn anffyddlon i ti. Ydw, dwi'n ei charu. Fel pob marchog da dwi'n caru fy mrenhines, ond wnawn i byth ei dwyn oddi arnat ti. Fe gawson ni'n dau'n twyllo gan wrach a'n gyrrodd ni ymaith o Gamelot.'

'Paid â gwrando arno, Arthur!' chwyrnodd Medrawd. 'Mae'n dweud celwydd.'

Sychodd Arthur y pridd o'i wyneb a syllu'n hir ar ei nai. 'Na,' meddai o'r diwedd. 'Dyw Lawnslot ddim yn dweud celwydd. Fe achubodd fy mywyd. Fyddai gelyn ddim yn achub fy mywyd. Dwed wrth y dynion am roi'r gorau i ymladd, Medrawd. Mae'r frwydr ar ben.'

Sgyrnygodd Medrawd. Gwaeddodd ar y dynion i ollwng eu harfau, a stelcian i ffwrdd mewn tymer. Gwyliodd Arthur e'n mynd a'i lygaid yn llawn tristwch.

'Rwyt ti'n dweud bod gen i elyn yng Nghamelot?' meddai wrth Lawnslot.

'Ydw, f'arglwydd.'

'Pwy?' Syllodd Arthur ar ei farchog ffyddlon. 'Pwy?' gofynnodd eto.

'Morgana,' atebodd Lawnslot.

'Morgana.' Trodd Arthur at borth y castell, lle roedd ei wraig annwyl yn disgwyl amdano, y wraig roedd Morgana wedi ceisio'i dwyn oddi arno. 'Dwedodd Myrddin mai un gyfrwys oedd Morgana,' sibrydodd a'i lais yn torri. 'Ond wnes i ddim gwrando arno, Lawnslot. Sut gallwn i? Dwi a Morgana'n perthyn drwy waed, ac mi wnes i ddrwg iddi.'

'Ond mae Morgana am wneud llawer mwy o ddrwg i ti,' meddai Lawnslot. 'Gyrra hi oddi yma, Arthur. Er mwyn dy frenhines a'th wlad, gyrra dy chwaer o Gamelot.'

I Ynys Afallon

Erbyn i Arthur a Gwenhwyfar gyrraedd yn ôl i Gamelot, roedd Morgana wedi dianc i Gernyw, a Medrawd wedi'i dilyn. Lle trist, llawn cysgodion, oedd Camelot. Roedd yr enwau aur ar seddau'r Ford Gron wedi pylu, a llawer o'r marchogion fu'n eistedd yno naill ai wedi marw wrth chwilio am y Greal neu wedi ymuno â byddin Medrawd.

Ddôi Lawnslot, marchog gorau Arthur, fyth yn ôl i'r llys. Hwyliodd dros y môr i Lydaw a gwneud ei gartref yno, ymhell oddi wrth ei frenhines, ac er parch i'w frenin.

Un noson, pan oedd Arthur yn eistedd ar ei ben ei hun wrth y Ford Gron, teimlodd awel yn cosi'i fochau. Roedd y drws mawr wedi agor, ac arogl mwsog, dail bedw ac afalau yn chwythu drwy'r neuadd.

'Myrddin!' meddai'n falch.

'Arthur, 'machgen i!'

Gwenodd Arthur yn drist wrth weld ei hen ffrind yn nesáu. Doedd Myrddin ddim wedi newid o gwbl. Roedd mor gnotiog â changen y dderwen, ac mor frown â charlwm yr haf. Fi sy wedi mynd yn hen, meddyliodd Arthur. Yn hŷn na Myrddin, hyd yn oed. Tynnodd ei goron a syllu arni'n drist.

'Dwi wedi methu fel brenin,' ochneidiodd. 'Dwi wedi methu, Myrddin. Fe wnes i 'ngorau i newid calonnau dynion, ac am gyfnod dwi'n meddwl i mi lwyddo. Ond nawr mae fy nai am frwydro yn fy erbyn. Mae Medrawd yn cynnull byddin yng Nghernyw, ac mae Sacsoniaid yn y fyddin. Sacsoniaid, cofia! Does dim wedi newid ers i fi ddod i'r byd. Mae popeth yn union 'run fath.'

'Na, dyw popeth ddim 'run fath,' atebodd Myrddin, gan eistedd yn ei ymyl. 'Rwyt ti wedi dangos i ni be sy'n bosib, Arthur.'

'Ond rydyn ni'n dal i ymladd.'

'Wyt ti eisiau ymladd yn erbyn Medrawd?'

'Dim o gwbl,' atebodd y brenin.

'Yna cynnig dir Cernyw iddo,' awgrymodd Myrddin. 'Dwed wrtho y caiff fod yn frenin ar deyrnas ei dad-cu.'

'Fe wna i hynny!' meddai Arthur a'i lygaid yn goleuo. 'Hefyd fe gynigia i ddarn o arfordir y de, mor bell â Chaint.'

'Pam lai?' meddai Myrddin.

Gwenodd y ddau ar ei gilydd, ac wrth edrych i fyw llygaid Arthur, nid brenin blinedig a welai Myrddin, ond y bachgen brwdfrydig a dynnodd y cleddyf o'r maen. Tra bo gobaith yn y tir, byddai ysbryd y bachgen hwnnw'n dal yn fyw.

Anfonodd Arthur negesydd ar unwaith at Medrawd yng Nghernyw. Ar ôl gwrando'n dawel ar y neges, aeth Medrawd i chwilio am ei fam.

'Mae Arthur yn cynnig heddwch,' meddai.

'Heddwch!' poerodd ei fam.

'Mae hefyd yn cynnig Cernyw, fy hawlfraint.'

'Mae gen ti hawl i Brydain gyfan,' meddai Morgana, a'r gwaed yn llifo i'w bochau gwyn. 'Mae'n dy dwyllo.'

Ysgydwodd Medrawd ei ben. 'Dyw Arthur byth yn twyllo,' meddai. 'Fe wyddost ti hynny'n iawn.'

'Lladdodd Arthur dy dad-cu!'

'Lladdodd rhywun fy nhad-cu. Nid Arthur.'

'Y llwfrgi!' Neidiodd Morgana ato a'i dwylo fel crafangau.

'Mam!' Cydiodd Medrawd yn ei garddyrnau. Poerodd Morgana yn ei wyneb. 'Mam!' llefodd Medrawd. 'Os awn ni i ryfel, bydd y wlad bron i gyd yn cefnogi Arthur. A phwy fydd gen i? Criw o ddynion ifanc penboeth, dibrofiad a byddin o Sacsoniaid na alla i ddibynnu arnyn nhw. Falle bydd cannoedd yn marw, a finnau'n un ohonyn nhw.

Ai dyna beth wyt ti eisiau?'

Tynnodd Morgana'i hun yn rhydd a throi ei chefn arno. 'Y ffŵl gwirion!' Yn ei thymer hisiodd y geiriau drwy'i dannedd. 'Fe golli di bopeth y buest ti'n breuddwydio amdano.'

'Na,' atebodd Medrawd. 'Dim ond rhai o'r pethau y buest *ti*'n breuddwydio amdanyn nhw.'

Aeth Medrawd yn ôl at y negesydd, a threfnu i gwrdd ag Arthur ar wastadedd Camlan, hanner ffordd rhwng eu dau lys. Addawodd adael ei fyddin ar ochr ddeheuol y gwastadedd, a cherdded i gwrdd ag Arthur yng nghwmni pedwar ar ddeg o'i farchogion. Gallai Arthur gychwyn o'r ochr ogleddol gyda'i farchogion e, a chyfarfod yn y canol. Yno fe gâi'r ddau drafod eu cynlluniau.

Pan dderbyniodd Arthur y neges, cododd ei galon.

'Mae gobaith i'n gwlad unwaith eto,' meddai wrth Gwenhwyfar, a chan gusanu ei wraig a'i gadael yng ngofal rhai o'i farchogion ffyddlon, fe arweiniodd ei fyddin tua Chamlan.

Pan gyrhaeddon nhw'r gwastadedd, roedd byddin Medrawd wedi ymgynnull ar y ffin ddeheuol. Yn union yng nghanol y gwastadedd safai dwy orsedd gadarn.

Gorchmynnodd Arthur i'w ddynion sefyll yn eu hunfan, ac yng nghwmni Syr Bedwyr a thri marchog ar ddeg, dechreuodd gerdded tuag at y gorseddau. Ar yr union eiliad honno dechreuodd Medrawd a'i farchogion gerdded i'w cwrdd. Craffodd y ddau arweinydd yn ofalus ar ei gilydd. Roedd gwên gyfeillgar ar wyneb Arthur, ond roedd Medrawd ar bigau'r drain, a'i ben bron â hollti. Y bore hwnnw, cyn iddo adael y llys, roedd ei fam wedi sibrwd yn ei glust: 'Bydd yn barod i amddiffyn dy hun, fy mab – rhag ofn!' Ac yna, wrth iddi godi ei llaw i fwytho'i wyneb, roedd Medrawd wedi teimlo rhywbeth hir a chennog yn gwingo yn ei llawes.

Eisteddodd Medrawd ar ei orsedd wyneb yn wyneb â'r brenin.

'Felly rwyt ti'n rhoi Cernyw i fi,' meddai'n sur. 'Pryd?'

'Heddiw.'

'Fi biau teyrnas Cernyw beth bynnag,' mynnodd Medrawd. 'Ti wnaeth ei dwyn oddi arna i.'

'Wnes i mo'i dwyn yn fwriadol,' atebodd Arthur. 'Ond i wneud iawn am hynny, dwi'n cynnig darn mawr o'r arfordir i ti hefyd.'

'Wir?' Syllodd Medrawd yn syn ar y brenin ac yna, a gwên yn lledu dros ei wyneb, estynnodd ei law ato.

Roedd y ddwy fyddin yn gwylio'n ofalus. Pan welson nhw'r ysgwyd llaw, ochneidiodd pob milwr yn falch. Fydden nhw ddim yn gorfod ymladd heddiw wedi'r cyfan. Fyddai neb yn colli'i fywyd. Ond wrth i filwyr Medrawd bwyso ar eu picellau, llithrodd gwiber gennog drwy'r glaswellt a brathu troed noeth un o'r Sacsoniaid. Sgrechiodd hwnnw a thynnu'i gleddyf. Fflachiodd y cleddyf yn yr haul.

Gwelodd milwyr Arthur y fflach. 'Brad!' gwaeddon nhw, a chodi baner y ddraig.

Neidiodd Medrawd ar ei draed. Llusgodd Bedwyr ei frenin i ddiogelwch wrth i'r ddwy fyddin ruthro at ei gilydd ar draws y gwastadedd. Cyn hir roedd y ddwy orsedd yn ddarnau mân, ac yn goch gan waed. Gorweddai cyrff dynion a cheffylau dros ddaear Camlan, ac atseiniai eu hochneidiau o boen yn gymysg â chrawcian barus y brain oedd yn cylchu uwchben.

Aeth y frwydr yn ei blaen yn ddidostur. Yn hwyr y prynhawn, pan oedd Arthur yn gwau ei ffordd drwy'r meirw, gwelodd ei nai yn rhedeg tuag ato.

'Medrawd! Medrawd!' llefodd. 'Oni bai am hyn, mi fyddet ti'n frenin Cernyw.'

'Ac o achos hyn, mi fyddi di farw!' rhuodd Medrawd, gan ymosod ar ei frenin.

Neidiodd Arthur i'r naill ochr a hyrddio'i gleddyf i ystlys ei nai. Gwaeddodd Medrawd mewn poen, ac â'i anadl olaf, cododd ei gleddyf a tharo helmed Arthur oddi ar ei ben.

Wrth i Medrawd syrthio, atseiniodd sgrech dorcalonnus dros Gamlan. Morgana oedd yn galaru am ei mab.

Clywodd Arthur y sgrech wrth ddisgyn yn swp ar lawr a'r gwaed yn llifo o'r clwyf ar ei ben. Rhedodd Bedwyr ato. Rhwygodd ddarn o'i diwnig ei hun. Gwasgodd e ar y clwyf a galw am help. Ond doedd neb yno i'w ateb, neb ond ysbrydion a chyrff y meirw.

'Gorffwys am funud, f'arglwydd,' erfyniodd. 'Fe a' i i nôl ceffyl i'th gario oddi yma.'

'Mae'n rhy hwyr.' Cydiodd Arthur yn mraich Bedwyr. 'Cer â fi at y llyn sy tu hwnt i'r coed,' meddai'n floesg.

Cododd Bedwyr ei frenin ar ei draed, ond gwegiodd coesau Arthur.

'Alla i ddim,' griddfanodd. 'Cymer fy nghleddyf, Bedwyr, a'i daflu i'r llyn.'

'Ond byddi di angen dy gleddyf eto,' meddai Bedwyr mewn braw.

'Na fyddaf.' Gwasgodd Arthur garn Caledfwlch i law Bedwyr a disgyn yn ôl ar lawr. Brysiodd Bedwyr oddi wrtho, drwy'r coed, a'r dagrau'n llifo dros ei fochau.

Pan ddaeth y marchog at y llyn, roedd y lleuad yn olau. Cododd y cleddyf uwch ei ben, gan feddwl ei daflu i'r dŵr. Drwy ei ddagrau disgleiriai Caledfwlch fel myrdd o sêr. Caledfwlch oedd cleddyf y brenin gorau a fu erioed. Allai e ddim taflu Caledfwlch i'r llyn! Cuddiodd y cleddyf yn y brwyn a brysio'n ôl at Arthur.

Agorodd Arthur ei lygaid. 'Beth welaist ti, Bedwyr?' gofynnodd.

'Golau'r lleuad yn disgleirio ar y dŵr ac ar lafn Caledfwlch,' meddai Bedwyr.

'Wnest ti ddim taflu'r cleddyf i'r llyn, felly,' meddai Arthur. 'Cer yn ôl.'

Aeth Bedwyr yn ôl at y llyn. Cyn gynted ag y cododd y cleddyf o'r brwyn, llenwodd ei galon â balchder. Yn llaw Arthur roedd Caledfwlch wedi ymladd dros ddaioni a thegwch. Roedd ef ei hun wedi dilyn Caledfwlch. Allai e ddim taflu'r cleddyf. Cuddiodd e yn y brwyn unwaith eto a mynd yn ôl at ei frenin.

'Bedwyr,' sibrydodd Arthur. 'Beth welaist ti?'

'Y llafn yn disgleirio a'r dŵr yn tasgu,' atebodd Bedwyr.

'Wnest ti ddim taflu'r cleddyf, felly!' Cododd y brenin ar ei eistedd. 'Cer, Bedwyr,' gorchmynnodd a'i lais mor gryf ag erioed. 'Tafla'r cleddyf cyn ei bod hi'n rhy hwyr.'

Rhedodd Bedwyr at y llyn a'r tro hwn fe hyrddiodd Galedfwlch yn ddi-oed. Wrth i'r cleddyf ddisgyn mewn fflach o olau, cododd llaw wen o'r llyn, cydio ynddo, ei chwifio deirgwaith a'i dynnu o'r golwg dan y dŵr.

Rhedodd Bedwyr nerth ei draed at Arthur.

'Syr!' galwodd. 'Fe welais law wen.'

'Yna fe wnest dy ddyletswydd, ffrind annwyl,' meddai'r brenin. 'Nawr wnei di fynd â fi at y llyn?'

Cododd Bedwyr ei frenin a'i gario at y llyn. Pan gyrhaeddon nhw ymyl y dŵr, llithrodd llong i'r golwg drwy'r niwl. Ar ei bwrdd safai tair merch mewn gwisgoedd gwynion. Estynnodd y tair merch eu breichiau, a throsglwyddodd Bedwyr ei frenin i'w

gofal. Rhoddwyd Arthur i orwedd ar wely sidan a hwyliodd y llong yn esmwyth tua'r gorllewin.

Rhedodd Bedwyr ar ei hôl i'r llyn. 'F'arglwydd! F'arglwydd!' llefodd. 'I ble wyt ti'n mynd, a phryd ddoi di'n ôl?'

'Dwi'n mynd i Ynys Afallon,' atebodd y brenin, 'ac fe ddo' i'n ôl . . .'

Ond hwyliodd y llong i'r niwl, a chlywodd Bedwyr ddim mwy.

Brenin am Byth

Roedd Bedwyr yn barod i suddo am byth i ddŵr oer y llyn. Heb Arthur, beth wnâi e? Beth wnâi unrhyw un?

'Mae ar ben arnon ni,' sibrydodd.

'Dyw hi ddim ar ben,' atebodd llais.

Safai Myrddin ar lan y llyn.

'Cwyd dy galon, ddyn ifanc,' meddai, gan estyn llaw gadarn a thywys Bedwyr yn ôl i'r lan.

Wrth i'r ddau sefyll gyda'i gilydd a syllu dros y dŵr, teimlodd Bedwyr y gwres yn llifo'n ôl i'w gorff.

'Ydy hi'n wir felly, Myrddin?' gofynnodd o'r diwedd. 'A ddaw Arthur eto?'

'Mae Arthur yma o hyd,' atebodd Myrddin. 'Ble bynnag mae'r ddraig yn cyhwfan, mae Arthur yno. Mae'n rhan o'n gwlad – pob coeden, pob craig. Alli di mo'i deimlo?'

Cododd Bedwyr ei ben. Clywodd arogl pren afalau a gweld pen draig yn disgleirio rhwng y sêr. 'Gallaf!' meddai. 'Gallaf! Ond a fydda i'n ei weld byth eto?'

'Os wyt ti'n fodlon chwilio amdano,' atebodd Myrddin. 'Dyna fydd dy dasg di, a thasg pawb drwy'r oesoedd i ddod. Chwilio am deyrnas Arthur ac eistedd unwaith eto wrth y Ford Gron.'

Chwythodd yr hen ŵr anadl hir. Chwythodd eto, ac ar ddŵr y llyn ymddangosodd enwau gwŷr a gwragedd, rhai wedi'u geni a rhai eto i ddod, mewn llythrennau aur.

'Arthur yw eich brenin am byth,' meddai Myrddin. 'Fe ddaw yn ôl!'

MALPAS

222 14·6·17